GEORG

MICHEL
FAIT MOUCHE

ILLUSTRATIONS DE PHILIPPE DAURE

HACHETTE

HACHETTE, 79, BOULEVARD SAINT-GERMAIN, PARIS VIe

I

Le petit train départemental plongea brusquement dans
l'ombre verte d'un bois. Une vague de fraîcheur pénétra
par les fenêtres grandes ouvertes des voitures sur-
chauffées.

L'approche du terminus de la ligne avait à peu près
fait le vide dans le train. Les wagons archaïques, sans
compartiments, ressemblaient bien plus aux voitures
d'un tramway qu'à celles d'un chemin de fer.

Michel regarda sa montre-bracelet tout en repoussant
une courte mèche brune qui lui retombait sur le front.

« Ou bien le train a du retard, ou bien c'est la
prochaine station, il est dix heures moins le quart ! »

Il se leva et se pencha à la fenêtre.

« Méfie-toi, tu vas prendre une branche dans l'œil ! »

lui cria son cousin Daniel, un garçon d'une quinzaine d'années qui était assis en face de lui.

Avec ses cheveux blonds coupés court et sa chemise à carreaux, celui-ci ressemblait à l'image standard des jeunes Américains que le cinéma et les revues ont popularisée. Son conseil n'était pas superflu ; les branches, mal élaguées, frôlaient par endroits les tôles rouillées des wagons.

Michel rentra la tête et, par-dessus les dossiers des banquettes, regarda l'unique voyageur qui occupait avec eux, à l'autre extrémité, le wagon de queue.

« Si je lui demandais ? proposa-t-il. C'est sûrement quelqu'un du pays. »

Sans attendre la réponse de son cousin, il s'approcha du géant roux, bâti en hercule, qui était assis au fond, près de la portière.

« Pardon, monsieur ? demanda poliment Michel. Pourriez-vous me dire si nous approchons de l'arrêt qui dessert Dunes-sur-Mer ? »

L'homme fronça les sourcils puis son visage s'éclaira d'un sourire. Il haussa les épaules, hochant la tête, en signe d'ignorance.

« Pas comprendre ! » dit-il.

Michel, déçu par la réponse dé l'homme, regagna sa place en se cramponnant aux dossiers des banquettes.

« Ce n'est pas pour rien qu'on appelle ça un *tortillard* ! » s'exclama-t-il au moment où il rejoignait Daniel.

Le train, lancé à toute vapeur, se tortillait vraiment avec une brusquerie et une amplitude de mouvements qu'accompagnaient des bruits de ferraille et le cliquetis des vitres mal scellées.

« Alors ? demanda Daniel. Il y en a encore pour longtemps de cette balançoire ? On serait mieux à dos de chameau !

« — Je n'en sais rien, mon vieux ! Je suis tombé sur un indigène, sans doute, un Flamand qui ne comprend pas le français ! »

Daniel se leva à son tour et s'accouda à la fenêtre.

« Je crois que cette fois nous arrivons ! » lança-t-il.

Il revint à sa place en poussant une exclamation de dépit :

« Flûte alors ! Je suis propre, moi ! »

Il montrait ses avant-bras, marqués d'une ligne de suie par le bord de la fenêtre.

« Tu as raison, tiens, l'indigène se prépare ! » lui dit Michel en désignant le géant roux qui venait de se lever et se dirigeait vers la sortie du wagon, pour passer sur la plate-forme arrière.

Les deux jeunes gens descendirent leur sac du filet et ils s'aidèrent mutuellement à passer les courroies. Le train ralentissait, en effet, ajoutant à son tintamarre le grincement des freins. Il émit un coup de sifflet, rauque et cocasse, tout à fait original, qui amusa les deux cousins. Ils gagnèrent la plate-forme de tête et se penchèrent par-dessus la rambarde pour apercevoir la gare. En fait, la rame amorçait une courbe prononcée, et ce ne fut qu'à la sortie du virage qu'ils découvrirent un quai, au loin, flanqué d'une construction qui ressemblait plus à un hangar qu'à une gare.

« Dunes-sur-Mer ! » lut Michel, lorsque le grand panneau bleu fut suffisamment proche. « Nous y sommes !

— Je ne vois pas la voiture ! grogna Daniel, Martine est sûrement en retard !

— Penses-tu ! M. Deville a dû s'arrêter à l'ombre, de l'autre côté du hangar. »

Dans un dernier déhanchement, ponctué par le heurt des tampons, le train s'immobilisa le long du quai où des poules picoraient.

« Dunes-sur-Mer ! » cria, pour la forme, l'unique employé de la compagnie locale.

Sans sa casquette à visière vernie, on aurait pu le confondre avec un terrassier ou un ouvrier agricole.

« Vos billets, s'il vous plaît ! » intima l'homme.

Les deux cousins s'exécutèrent et restèrent hésitants, sur le quai.

« Martine brille par son absence ! constata Michel.

— Je te le disais, les filles, c'est toujours en retard, renchérit Daniel.

— Il n'y a qu'une solution : prendre la route... si les Deville viennent à notre rencontre, nous les verrons bien ! »

Daniel suivit son cousin en rechignant. Ils quittèrent la « gare » et s'engagèrent sur une route blanche et crayeuse, dépourvue du moindre revêtement. Une fine poudre argentait l'herbe des bas-côtés.

Il n'était que dix heures du matin, mais le soleil d'août, déjà haut dans le ciel, rendait l'air brûlant.

« Par grand vent, ça doit être gai, par ici ! » grommela Daniel.

Michel n'eut pas le temps de répondre. Deux hommes, coiffés de chapeaux de toile, venaient d'apparaître, assis sur le talus, après un détour de la route. L'un d'eux se leva et se dirigea vers les garçons.

« Vous avez l'intention de vous rendre à Dunes, jeunes gens ? » demanda-t-il.

Les « jeunes gens », surpris par le ton sec de l'homme et son visage peu amène, toisèrent leur interlocuteur d'un air méfiant.

« Pourquoi ? Vous êtes taxi, peut-être ? » répliqua Michel, qui trouvait l'homme peu sympathique.

Celui-ci fronça les sourcils et grogna d'une voix irritée :

« Gardez votre esprit pour une autre occasion ! Je vous ai posé une question, répondez ! »

En même temps, il avait sorti un étui brillant de sa poche, et une carte, barrée d'une ligne tricolore, révéla le mot « Police », très apparent. Les deux cousins s'empourprèrent. Ils étaient loin de s'attendre à un accueil de ce genre.

« Alors, insista l'homme, c'est bien à Dunes que vous allez ? Dans ce cas, vous avez des sauf-conduits ?

— Des sauf...-conduits ? Mais pour quoi faire ? demanda péniblement Daniel, suffoqué.

— Nous allons à Finiterre, c'est une villa qui appartient aux Deville, nous sommes invités ! »

Le policier tira un carnet de sa poche et nota quelques mots.

« Vos noms, s'il vous plaît ? »

Les deux garçons s'exécutèrent.

« Bien entendu, reprit l'homme, les personnes chez qui vous allez ne vous ont pas prévenus qu'il vous fallait un sauf-conduit pour entrer sur le territoire de la commune de Dunes-sur-Mer ?

— Mais non ! Voici leur dernière lettre, elle est datée d'avant-hier. On nous dit que l'on viendra nous chercher à la gare en voiture, c'est tout ! »

L'homme se gratta le front avec son stylo.

« Evidemment, avant-hier... Ne bougez pas, je vais en parler au chef. »

Ce fut seulement à ce moment-là que les garçons aperçurent des herses, aux dents acérées, qui étaient posées contre le talus, à côté des policiers. C'étaient des herses du modèle utilisé parfois par les douaniers pour établir des barrages sur les routes — les pointes dont elles sont hérissées menacent les pneus des voitures des fraudeurs qui n'obtempéreraient pas aux signaux.

« Tu as vu, Daniel, c'est un véritable barrage ! Je croyais que c'était le rôle des douaniers ? »,

Mais Daniel ne répondit pas. Il manifestait tous les signes d'une humeur massacrante. Il finit par grommeler :

« Je la retiens, ta Martine ! *Ne vous inquiétez surtout pas, Dunes est situé à quatre kilomètres de la station, mais nous serons à la gare, père et moi, avec la voiture !* C'est bien de nous aussi, cette idée de venir passer des vacances dans ce pays perdu !

— Ne commence pas à grogner, mon vieux ! Ce n'est certainement pas la faute de Martine ! Les filles proposent et les parents disposent ! C'est déjà rudement chic, de la part de M. et de Mme Deville, de nous avoir invités pour deux semaines ! Dunes-sur-Mer est peut-être un pays perdu, comme tu dis, mais n'empêche que depuis six mois, c'est bien la commune la plus célèbre de France. »

Daniel haussa les épaules.

« Peuh ! La plus célèbre ! Du battage, tout ça ! Le fameux tunnel sous la Manche ! Au siècle de la fusée et des voyages dans la lune. Pas la peine d'en faire un plat ! »

Michel sourit.

« N'empêche que c'est le projet français qui l'a emporté ! On abandonne les premiers travaux de Sangatte...

— Air connu, Michel ! Garde ton souffle, tu vas en avoir besoin ! Le progrès et moi, nous sommes un peu en froid, figure-toi. Même pas un car pour arriver à Dunes-sur-Mer ! Un petit train départemental. Je croyais que ce n'était plus que dans la chanson de Mireille, que ça existait encore, ces tacots ! »

Avec ses cheveux courts, Daniel paraissait plus jeune

que son âge. Il semblait pour l'instant réellement furieux. Il remonta son sac d'un coup d'épaule.

« On cuit ici ! Sans compter, reprit-il, que lorsque ce policier de malheur nous aura lâchés dans la nature, ce sont cinq bons kilomètres qui nous attendent, pedibus, puisque la villa est en dehors du village, comme nous l'a écrit Martine ! Non, je te jure qu'il y a de l'abus.

— De l'abusse !

— Quoi ?

— Pour la rime, avec ton pedibus... je dis : "il y a de l'abusse" !

— Complètement idiot ! On rira tout à l'heure, sur la route, avec ce soleil et cette poussière ! »

Le policier revint,

« Ouvrez vos sacs, jeunes gens ! commanda-t-il sans autre forme de politesse.

— Mais... pourquoi ? » protesta Daniel.

Un regard de l'autre acheva de le convaincre que toute discussion était inutile. Ils posèrent leurs sacs dans la poussière qui recouvrait l'herbe et les ouvrirent. Le policier poussa la conscience professionnelle jusqu'à inspecter le contenu des poches latérales.

« Pardonnez-moi d'insister, monsieur ! demanda Michel, le plus poliment qu'il pût. Mais il n'est pas courant de se voir accueillir à la sortie d'une gare française par des policiers fouillant les bagages ! Vous n'êtes pas douanier, n'est-ce pas ?

— Pas encore, non, mais ça peut venir ! »

Cette réponse sibylline fut tout ce que le policier daigna expliquer.

« Bon ! déclara-t-il, lorsque sa fouille fut terminée. Vous pouvez disposer. Mais n'oubliez surtout pas de vous faire établir des sauf-conduits, dès aujourd'hui, à la mairie de Dunes. Sinon vous risquez des ennuis. Vous avez de la chance que le chef veuille bien vous laisser partir ! »

Les deux garçons, furieux de l'incident, chargèrent leurs sacs et partirent sur la route, en marmonnant une vague politesse. Ils aperçurent au loin le fin clocher d'ardoise, au-dessus des arbres du bois, moins dense en cet endroit. Daniel grogna :

« Je m'en souviendrai, de notre arrivée ! Comme comité d'accueil, on fait mieux ! Heureusement encore que nous étions seuls ! s'il avait fallu faire la queue, pour la fouille, par un soleil... »

Michel l'interrompit.

« Mais dis donc, c'est vrai, au fait... et l'indigène du train ? Où est-il passé, celui-là ? Il avait bien l'air de vouloir descendre à Dunes !

— J'ai l'impression qu'il a été moins idiot que nous ! Il a dû descendre en marche à contre-voie !

— Je vois mal comment il serait descendu à contre-voie, puisque la ligne est à voie unique, objecta Michel.

— N'exagère pas, veux-tu ? On sait que monsieur est un puriste. N'empêche que nous étions à la fenêtre, au moment où il passait sur la plate-forme, comme s'il allait descendre avec nous "à la prochaine" et puis, pfuit ! passez muscade, plus personne ! Donc il est descendu en marche, que ce soit à contre-voie ou pas ! »

La conclusion de Daniel parut irréfutable à Michel.

« Donc, il n'avait pas l'intention de rencontrer messieurs les policiers... Au fait, je me demande ce qu'ils faisaient là, tous les deux ? L'accès du "petit trou" perdu, comme tu dis, a l'air drôlement surveillé ! »

La route serpentait mollement entre deux talus, maintenant, et elle avait quitté définitivement le bois. Michel escalada le talus pour inspecter le paysage.

« Anne, ma sœur Anne, ne vois-tu rien venir ? » demanda Daniel, arrêté au milieu de la chaussée.

Michel descendit aussi vite qu'il était monté et déclara en riant :

« Je ne vois que l'herbe qui verdoie, la route qui poudroie et ton nez qui rougeoie, "sœur Daniel" ! Tu es bon pour la "tomate !" »

Le soudain affolement de Daniel à cette nouvelle déclencha l'hilarité de son cousin. Il se tâta le nez en louchant affreusement.

« Tu crois vraiment ? C'est bien ma veine ! Je suis frais, moi, avec un coup de soleil sur le nez ! Je suis sûr que, dans deux jours, je pèle comme un vieil oignon ! »

Ils reprirent leur progression, rendue pénible par le poids de leurs sacs. Ils avançaient sur la chaussée poudreuse, penchés en avant, les pouces passés sous les courroies.

Un instant le talus cessa. Daniel, qui venait de regarder machinalement sur la droite, tendit aussitôt le bras.

« Tiens, regarde... l'*indigène* ! »

Michel suivit la direction indiquée et découvrit, en effet, le géant roux, à l'orée du bois, à plus de deux cents mètres d'eux, qui semblait consulter un journal.

« C'est un original, celui-là ! constata-t-il. Quitter le train en marche pour lire son journal dans le bois...

— Ce n'est pas un journal... à la façon dont il tient le papier... c'est une carte ! On dirait qu'il se repère ! »

Mais Michel poussa une autre exclamation.

« Hé ! regarde ! Une voiture ! »

Daniel regarda à son tour et finit par affirmer :

« C'est un mirage, mon vieux ! C'est peut-être une voiture mais elle est arrêtée. Sur cette charmante route, elle devrait soulever un nuage de poussière... regarde derrière nous, tiens, rien que nos pieds. »

13

Michel ne se retourna pas. Il continuait à fixer la masse noire que Daniel avait signalée. Elle était immobile, semblait-il, mais des silhouettes remuaient autour d'elle. Bientôt, une forme claire s'en détacha et parut venir au-devant d'eux.

« C'est peut-être un mirage, Daniel, mais je crois pourtant que c'est une très réelle Martine qui vient nous aider à porter nos sacs. »

C'était bien une silhouette féminine qui se précisait maintenant. Une jeune fille qui agitait à bout de bras un châle ou un foulard. Lorsqu'elle fut plus distincte, ses cheveux blonds donnèrent à la supposition plus de vraisemblance.

« Quand je te le disais, que ce n'était pas sa faute ! s'exclama Michel. Ou je me trompe fort, ou c'est M. Deville qui est plongé là-bas dans son moteur ! Ils sont en panne !

— C'est bien ma veine ! Une panne qui me vaut un nez rôti !

— Dis... ça ne te ferait rien de changer de disque... et d'humeur ? »

Martine Deville, qui approchait en courant, maintenant, lança un appel :

« Hé-ho ! Michel ! Hé-ho ! Daniel !

— Hé-ho ! Martine ! »

Quelques minutes plus tard, les trois jeunes gens échangeaient une vigoureuse poignée de main. Aussi grande que les deux garçons, Martine était déjà très hâlée. Sa robe blanche, toute simple, faisait paraître plus brune encore la peau de son visage et de son cou. Ses cheveux blonds, très courts, un peu dérangés par la course, encadraient ses traits réguliers, intelligents, qu'éclairaient deux grands yeux bleus, très vifs.

« Je suis désolée, pour vous deux ! Avouez que ce n'est vraiment pas de chance ! expliqua-t-elle. Une panne stupide à moins d'un kilomètre du village ! Et nous étions déjà un peu en retard, père et moi ! Avec cette chaleur, vous devez être fatigués, vos sacs sont lourds. Papa est très vexé !

— Il a tort ! répliqua aimablement Michel. Un peu de footing ne nous a pas fait de mal, après le voyage !

— C'est... vrai ! parvint à articuler Daniel après un coup de coude de son cousin.

— Vous êtes gentils, tous les deux ! Mais quand même, il fait un peu chaud. »

Tout en bavardant, ils repartirent vers la voiture. M. Deville avait visiblement cessé de s'intéresser au moteur. La cause de la panne dépassait sans doute sa compétence. A côté du capot ouvert, il attendait, ne sachant trop quoi faire de ses mains, noires de cambouis, l'arrivée de sa fille et de ses invités. Il tendit aux jeunes gens un avant-bras, en s'excusant :

« Je ne vous donne pas la main, mais le cœur y est !
Heureusement qu'on est sportif, à votre âge ! J'espère
que vos sacs ne sont pas trop lourds. »

Il s'enquit poliment de la santé des parents de Michel,
s'inquiéta de ceux de Daniel, puis il finit par déclarer :

« Vous feriez aussi bien de gagner Dunes tout de
suite. Martine, tu vas prévenir Martial, en passant,
qu'il vienne me prendre en remorque. »

Au moment où les jeunes gens se remettaient en
route, M. Deville ajouta :

« Laissez donc vos sacs ici. Martial les prendra dans
sa voiture en me reconduisant à la maison ! »

En attendant, M. Deville, en désespoir de cause, alla
s'asseoir sur le talus, à l'ombre d'une touffe de noi-
setiers.

*
* *

Entre les trois jeunes gens, la conversation avait été
tout de suite très animée. Martine rassura Daniel quant
aux conséquences de son insolation, en lui promettant un
baume qui empêcherait son nez de peler.

Michel narra l'incident des policiers, à la gare.

« C'est seulement depuis deux jours ! Toutes les issues
de Dunes sont gardées comme ça par des policiers. Tous
les gens du pays ont un sauf-conduit. C'est à cause du
tunnel. Les ouvriers qui y travaillent ont une carte
spéciale. On parle de sabotage... ou du moins il paraît qu'on craint un sabotage ! »

Daniel, mal remis encore de sa mauvaise humeur,
s'exclama :

« Un sabotage ? Et pourquoi ? Je vous le demande ?
Ce truc inutile ? Qui voulez-vous qui s'y intéresse au
point de vouloir le saboter ? Il faudrait une raison ! »

Martine rit doucement et elle reprit :

« Tu as des idées très arrêtées sur l'utilité du tunnel, Daniel. N'empêche que, d'après ce que j'ai entendu dire par papa, certains Anglais estiment que le tunnel menace l'Angleterre et ils veulent que leur pays reste une île ! »

Pour la première fois depuis son arrivée, Daniel se dérida. Il s'esclaffa franchement :

« A l'heure des bombes H et des fusées ? Je crois que le tunnel n'ajoutera pas beaucoup aux dangers que l'Angleterre pourrait courir !

— En tout cas, qu'il s'agisse ou non d'un sabotage, ou d'une menace de sabotage, depuis deux jours tout est transformé. Le chantier a été entouré de barbelés. On dit que des policiers sont arrivés et qu'ils se tiennent en permanence sur le chantier. On vérifie fréquemment les sauf-conduits des gens qui circulent dans le pays, expliqua Martine.

— Plus j'y pense, intervint Michel, plus je crois que le bonhomme roux du train ne devait pas en avoir, lui, de sauf-conduit ; ça expliquerait qu'il ait préféré descendre en marche, en plein bois !

— Quel bonhomme roux ? » s'inquiéta Martine.

Michel lui expliqua l'incident du train. La jeune fille réfléchit, amusée, avant de déclarer :

« Ça ne veut peut-être rien dire, au fond, vous savez ! Il y a souvent des gens du pays qui descendent avant la station, parce que c'est plus près de chez eux. Comme le tortillard ne va jamais bien vite, c'est facile !

— Il ne comprenait pas le français, pourtant. Même les Flamands, ici, comprennent et parlent le français, quand même !

— Hum... oui, en principe ! Mais il y a aussi pas mal d'ouvriers étrangers dans l'équipe du tunnel. »

II

Ils bavardèrent jusqu'à l'entrée de Dunes. Le village s'allongeait le long des quatre branches d'un carrefour, au centre duquel se trouvait une place importante. Michel et Daniel, qui y venaient pour la première fois, découvrirent des maisonnettes de brique, très propres, alignées le long des rues pavées. Sur les trottoirs de terre, le long des maisons, des bouquets d'iris, des touffes de glaïeuls égayaient, de leurs couleurs et de la verdure de leurs feuilles, l'aspect un peu sévère de l'ensemble.

La place, elle, était ceinturée de barres rouillées, supportées par des bornes de pierre.

« Le marché à bestiaux de l'endroit, les jours de foire ! expliqua Martine. Et aussi le champ de foire, pour la ducasse, comme vous pouvez le constater ! »

En effet, sur le terre-plein de la place, régnait une activité de fourmilière. A vrai dire, ce n'étaient pas tant le nombre et l'importance des baraques foraines qui s'installaient, qui donnaient cette impression, que le grouillement d'une cinquantaine d'enfants rieurs et bruyants, courant d'une baraque à l'autre.

« Quels changements, ici, à côté de l'an dernier ! dit Martine. On a édifié une cité, à proximité du tunnel, un vrai petit village ! Il fallait ça, pour plus de trois cents ouvriers. »

Elle expliqua aussi que le percement du tunnel s'accompagnait de la construction d'une autoroute, d'une voie ferrée, avec gare routière et ferroviaire.

« Dunes va devenir une véritable ville ! conclut-elle.

— Dommage ! estima Michel. Moi, je préfère de loin les villages et les petites villes. »

Ils s'arrêtèrent pour regarder un instant la construction des baraques. Au fond de la place, un cirque dressait déjà son chapiteau de toile bleue, sur lequel son nom se détachait en lettres blanches : *CIRQUE INTERNATIONAL*. Tout près de là des chevaux pie mangeaient avec une morne application le contenu des musettes dans lesquelles disparaissaient leurs naseaux. De gros camions, chargés de terre, passèrent en convoi et traversèrent la place sans attirer autrement la curiosité des habitants. Depuis six mois que le chantier du tunnel était ouvert, leur passage appartenait aux menus faits de la vie quotidienne.

« Mon Dieu ! s'exclama brusquement Martine. Et Martial que j'oubliais de prévenir ! Pauvre papa ! Il doit sécher au soleil en se demandant pourquoi le dépanneur est aussi long à venir. J'y cours ! Attendez-moi là, si vous voulez ! J'en ai pour cinq minutes, à peine ! »

Les deux garçons s'intéressèrent au cirque. Il leur

fallut traverser la place, au milieu de la foule des enfants rieurs et des vieux du pays qui contemplaient, la pipe à la bouche, le déroulement des manœuvres. Deux nains trottinaient sur leurs courtes jambes en franchissant, par des efforts touchants, les pieux et les cordes.

« Qu'est-ce qu'il nous veut, celui-là ? » grommela Daniel en désignant un jeune garçon du pays, très blond, le visage constellé de taches de rousseur, qui ne les quittait pas des yeux.

« C'est peut-être ton phare qui l'attire, comme les papillons ! » plaisanta Michel.

Daniel porta si vivement la main à son nez que son cousin et l'inconnu sourirent.

« Il m'agace, ce gars-là ! reprit Daniel, en fronçant les sourcils. J'ai bien envie de lui demander...

— Ouf ! quelle journée ! s'exclama Martine qui revenait en courant. Quelle chaleur ! Tiens... Bonjour, Justin ! Approche, que je te présente mes amis ! »

Et Daniel, stupéfait, vit le jeune Marindunois qu'il allait provoquer s'approcher d'eux en souriant gauchement.

« C'est Justin Ronchot, reprit Martine. Le fils d'un camarade de guerre de papa. Justin, voici Michel et voici Daniel. Oh ! mais j'y pense, il faut que je passe chez toi pour prendre des œufs frais. Tu nous accompagnes ? »

Justin accepta. C'était un garçon d'une douzaine d'années, que la vie en plein air et les travaux des champs avaient développé. Il expliqua sa curiosité : il avait aperçu les deux étrangers avec Martine, juste avant que celle-ci ne parte au garage.

« Dépêchons-nous ! conseilla la jeune fille. Sinon maman va être inquiète. A moins que papa ne soit à la maison avant nous ! »

Ils quittèrent la place pour suivre une rue identique à celle qu'ils avaient empruntée en entrant dans le village. Mais cette fois, les murs de moellons blancs alternaient avec les murs de briques.

« C'est la partie la plus vieille du village ! » expliqua Justin.

Ils arrivèrent bientôt à la ferme. Justin poussa une porte découpée dans le grand battant d'une porte cochère et le trio le suivit pour entrer dans la cour. Une propreté étonnante y régnait. Une plate-forme en maçonnerie contenait le fumier. Tout était peint de frais, et les poules étaient prisonnières d'un parcours grillagé. Des géraniums garnissaient les fenêtres. L'ensemble était plaisant à l'œil.

La fermière, une accorte personne à cheveux gris, les accueillit dans une grande cuisine au carrelage rouge, d'une propreté méticuleuse. Des doubles rideaux maintenaient une pénombre fraîche.

« Maman, c'est Martine qui vient pour les œufs ! Je vais les lui chercher !

— Va, mais n'en casse pas, hein ! »

La fermière reprit, après la sortie de son fils.

« Ne manquez pas de dire bien des choses à vos parents, Martine. Mon mari doit pousser jusqu'à chez vous un de ces jours !

— Et voilà ! Tout frais ! » s'exclama Justin en revenant avec les œufs.

Martine s'excusa, expliquant la panne et leur retard, pour quitter aussitôt la ferme. Lorsqu'ils se retrouvèrent à trois sur la route, la jeune fille raconta à ses amis ce qu'elle savait des Ronchot.

« Le fermier s'appelle Jules Ronchot. Les gens du pays l'appellent plus facilement Jules *Ronchon*, parce qu'il n'est pas souvent de bonne humeur. Papa et lui se

21

trouvaient dans la même unité, pendant la guerre de 1940. Papa doit une fière chandelle au père Ronchot. C'est lui qui l'a découvert dans un abri, blessé par un éclat d'obus. Ronchot l'a transporté jusqu'au poste de secours, malgré le bombardement qui continuait. Sans cela les conséquences de la blessure auraient été plus graves. Papa dit même qu'il doit la vie au fermier. Il avait gardé l'habitude de lui écrire, tous les ans, par gratitude, et c'est par lui que nous avons pu louer Finiterre, pour la première fois, il y a quatre ans. Nous y venons chaque année, depuis. »

Tout en bavardant, ils étaient sortis du village. La route serpentait maintenant entre deux talus élevés, dont l'herbe maigre ne parvenait pas à dissimuler complètement le sous-sol sableux. Ils aperçurent au loin, après un virage prononcé de la route, une maison en ruine qui dressait sa silhouette étrange à un carrefour. Seul, le mur de façade semblait à peu près intact, et une partie du pignon.

Lorsqu'ils furent plus près, Martine expliqua à ses amis :

« Ça s'appelle les "Quatre-Chemins".

— Original, pour un carrefour ! » constata Daniel, ironique.

Ils s'arrêtèrent un instant, autant pour souffler un peu que par curiosité. Par une ironie du hasard, au-dessus de l'ouverture béante de ce qui avait été la porte, l'enseigne se balançait encore, très lisible, malgré la rouille de la tôle : *Estaminet des Chasseurs.* A l'intérieur, on découvrait un amas de décombres, briques, solives et tuiles mélangées. Des touffes d'herbe avaient envahi par places ce qui avait dû être la salle de l'estaminet. De l'autre côté de la route, juste en face de la porte se dressait la carcasse rouillée et tordue d'une pompe à essence éventrée. Dérisoire, une étiquette métallique annonçait encore le prix du carburant : 4,65 F.

« Ça ne date pas d'hier ! » plaisanta Michel.

L'ensemble offrait cet aspect un peu sinistre et déprimant qui est commun à toutes les ruines.

« Je n'aime pas beaucoup passer par ici, le soir venu ! dit Martine en riant. C'est sinistre ! Mais une fois sur cette route, on ne peut plus se tromper. Ce n'est pas pour rien que le propriétaire a appelé sa villa "Finiterre". Elle est à une cinquantaine de mètres des dunes du bord de mer.

— Pourquoi "Finiterre" et pas "Finistère" ? » demanda Daniel.

Ce fut Michel qui riposta en riant :

« Pour que la poste ne s'y trompe pas, tiens ! Excuse-le, Martine, mais Daniel a besoin d'une douche, d'un pot de crème antisolaire, pour s'en tartiner le nez, et d'une bonne sieste ! »

Il esquiva la bourrade amicale que son cousin tenta de lui décocher.

Ils reprirent la route et arrivèrent assez vite en vue de la villa. Une jolie maison blanche, à volets bleus, émergeait d'un parc d'arbustes vigoureux. A l'étage, on apercevait des fleurs aux fenêtres. « Finiterre » offrait un aspect vraiment engageant qui plut immédiatement aux deux jeunes gens. Martine, qui guettait leur réaction du coin de l'œil, fut heureuse de les voir s'épanouir.

« Compliments, Martine ! dit sobrement Daniel.

— Finiterre est bien jolie ! » renchérit Michel.

Ils atteignirent bientôt la barrière blanche qui fermait le parc. Mme Deville, une jeune femme blonde, à qui Martine ressemblait beaucoup, apparut sur le perron. Elle portait un petit tablier et s'essuyait les mains à un torchon.

« Vous arrivez à pied ? Que se passe-t-ıl, Martine ? leur cria-t-elle. Il n'est rien arrivé de grave à ton père ? »

La jeune fille expliqua la panne, et Mme Deville sourit, rassurée.

Elle fit entrer ses invités, leur servit de la bière fraîche qui emperla les verres d'une buée réconfortante. Presque aussitôt un bruit de moteur les avertit de l'arrivée de M. Deville.

« C'est une chance, pour moi, que je sois tombé en panne en allant vous chercher ! » s'exclama-t-il.

Etonnés, Michel et Daniel se regardèrent.

« Mais oui ! reprit en riant leur hôte. Je ne suis en vacances que la semaine prochaine. Il faut que je retourne à Amiens dès demain ! Sans vous, je ne me serais pas servi de la voiture avant, et c'est en pleine route que la panne me serait arrivée ! Martial estime qu'il s'agit d'un segment rompu. Il faudra peut-être rectifier le cylindre, changer un piston ! C'est une réparation qui peut prendre longtemps ! J'espère que Martial pourra la faire en temps utile malgré la ducasse ! »

Mme Deville proposa aux deux jeunes gens de prendre une douche.

« Martine va vous montrer votre chambre. Elle est située au sous-sol, mais elle est saine. Vous y serez plus au frais qu'à l'étage. »

Les deux cousins descendirent le sac dans leur chambre. Ils prirent une douche et revêtirent un short propre avec une chemise légère. Ils enfilèrent des sandales à lanières.

« Ouf ! on se sent mieux ! apprécia Michel.

— Je suis de ton avis. Il n'y a que mon nez qui proteste ! Je les retiens, ces policiers, avec leur sauf-conduit !

— Mais c'est vrai ! Je suppose que, même pour aller se baigner, il doit falloir emporter son papier !

— Tu penses ! Imagine qu'en faisant de la chasse sous-marine, tu rencontres un bâtiment de la douane ! Il t'arraisonne, aussi sec ! »

Martine frappa à la porte.

« Tiens, Daniel, maman te conseille de t'enduire copieusement le nez avec cette crème. Elle est radicale contre les brûlures. Garde le tube dans ta poche, il faudra en remettre souvent. »

Daniel gémit lorsqu'il se regarda dans la glace du lavabo.

« Une vraie fraise à la crème ! constata-t-il amèrement après s'être enduit le nez d'une épaisse mixture blanche.

— Je propose que nous allions tout de suite prendre un bain apéritif. Je tiens à vous montrer la plage, dit Martine. C'est un coin très calme. Les snobs ne l'ont pas encore découvert. Je suppose que, lorsque le tunnel sera ouvert, quelqu'un ne manquera pas de s'aviser qu'il y a là un profit à tirer. On finira bien par y installer une buvette, avec des parasols, pour voyageurs assoiffés...

— Il y a de quoi avoir envie de saboter définitivement le tunnel ! protesta Michel. Il devrait exister une Société protectrice des petites plages tranquilles... La S. P. D. P. P.T. ! Je propose que nous la fondions, chiche ?

— En attendant, répliqua Martine en riant, passez vos maillots et dépêchez-vous. Maman mijote un déjeuner de bienvenue qui ne peut souffrir aucun retard ! Nous discuterons plus tard des statuts de ta S.P. je ne sais plus quoi... Dans cinq minutes rendez-vous dans le jardin. Sinon, il faudra prendre un taxi pour aller rejoindre la mer ! »

Dix minutes après, ils descendaient un sentier encaissé entre des dunes à l'herbe rase. Lorsqu'ils débouchèrent sur la plage, ils comprirent que Martine avait eu raison de les faire se presser. La mer commençait à se retirer, en abandonnant au soleil des flaques étincelantes.

Michel s'arrêta brusquement à l'endroit où le sentier se perdait dans le sable de la plage.

« Alors, Michel ? Déjà fatigué ? » plaisanta Martine.

Mais Michel lui désigna discrètement un homme qui se promenait nonchalamment, vêtu d'une cotte kaki, sur la plage, en fumant sa pipe. Daniel les rejoignit.

« Qui est cet homme, Martine, tu le connais ? Il a une façon de nous regarder, quand il croit qu'on ne le voit pas, qui ne me plaît pas du tout ! Il surveillait le sentier, lorsque nous sommes arrivés, j'en suis sûr ! »

Martine regarda l'homme, puis elle haussa les épaules.

« Je ne le connais pas. C'est sans doute un ouvrier du tunnel, au repos. Quelle importance ? »

Michel ne répondit pas tout de suite. Il paraissait absorbé dans son examen du fumeur de pipe.

« Dis... Je te parle, Michel. Je te demande ce que tu vois d'extraordinaire à la présence de ce bonhomme sur la plage ?

— Rien... bien entendu ! finit par répliquer l'interpellé. Disons qu'il a un air qui ne me revient pas !

— C'est la mer qui ne reviendra pas, du moins pas avant cinq heures et demie, ce soir ! Allons, à l'eau ! Nous discuterons plus tard ! »

Ils abandonnèrent leurs vêtements sur le sable déjà sec, par endroits, et ils coururent plonger dans les vagues. Martine accomplit méthodiquement ce qu'elle appelait son « parcours quotidien » pour se maintenir en forme, et les deux garçons chahutèrent avec la frénésie qui accompagne toujours le premier bain des vacances.

Quelques instants plus tard, Martine prenait déjà son bain de soleil, étendue sur sa serviette. Daniel effectuait non loin de là des essais infructueux pour marcher en équilibre sur les mains lorsque Michel revint à son tour vers la plage. De l'eau jusqu'aux genoux, il avançait nonchalamment, sans se presser, heureux de goûter encore la fraîcheur de la mer.

Tout à coup, il poussa un cri.

« Ouille ! J'ai marché sur une grosse pierre ! Je viens de me faire atrocement mal au pied ! »

En équilibre instable sur une jambe, il examina la plante de son pied droit avant de tomber à la renverse dans l'eau. Martine et Daniel éclatèrent de rire.

« Ce que tu es douillet, quand même, mon pauvre Michel ! se moqua la jeune fille. La plage est lisse comme la main, il n'y a ni rocher ni pierre ! »

Michel, sans répondre, fonça sur elle.

« Je vais te montrer si je suis douillet ! » cria-t-il en empoignant du sable, avec l'intention évidente de faire payer à Martine sa plaisanterie.

Ce fut aussitôt une bataille rangée, à laquelle Daniel

se mêla. Un peu essoufflés, ils furent obligés, lorsqu'ils
se furent calmés, de retourner à l'eau pour se débarrasser du sable collé sur eux.

« N'empêche que j'ai marché sur quelque chose de
dur, qui affleurait le fond ! expliqua Michel. J'aurais
juré qu'il s'agissait d'un rocher.

— C'est peut-être une épave, un morceau de bois !
Ça arrive », répliqua Martine.

Elle changea de conversation en conseillant à Daniel
de s'enduire à nouveau le nez avec la crème.

« Masse bien, pour que la graisse pénètre ! »
précisa-t-elle.

Ils repartirent vers la villa. En chemin, ils croisèrent
un homme très brun, large d'épaules, malgré sa taille
moyenne et dont l'aspect un peu insolite les intrigua.

« Je parie que c'est un homme de l'équipe du cirque !
déclara Michel lorsqu'ils se furent éloignés. Je
l'ai remarqué tout à l'heure en traversant la place.

— Je crois que tu as raison ! confirma Martine. Il
était chez les Ronchot hier. Il venait chercher du lait.
Justin et Alex, son frère, bavardaient avec lui. »

Ils se séparèrent à l'entrée du jardin. Les garçons
allèrent dans leur chambre se préparer pour le déjeuner.
Martine monta à l'étage.

*
* *

A table, M. Deville esquissa l'historique de la question du tunnel sous la Manche. Il expliqua les oppositions
que les divers projets avaient soulevées, surtout de la
part du Grand Etat-Major britannique. Ses membres
craignaient que le passage, « à pied sec », sous le Channel,
ne détruise l'avantage que constituaient les fossés naturels autour de la forteresse Angleterre.

« Et pourtant, aujourd'hui, tout le monde semble
convaincu de son utilité ! intervint Michel... tout le
monde... sauf Daniel ! »

La mine furieuse de celui-ci déclencha l'hilarité des
convives. Lorsque les rires se furent calmés, M. Deville
reprit :

« Hum... tout le monde, oui, en principe. Pourtant
vous avez pu vous rendre compte du luxe de précautions
dont on entoure les travaux.

— Nous en savons quelque chose en effet ! affirma
Daniel en se tâtant le nez.

— C'est qu'il y a eu déjà une tentative de sabotage...
je tiens cela d'un camarade de promotion à Centrale, qui
travaille ici, au tunnel. Nous le verrons tout à l'heure,
car je suppose que vous vous intéresseriez à la visite du
chantier ?

— Beaucoup, monsieur ! affirma Michel.

— Ne répétez pas inconsidérément ce que je vais

vous dire. C'est une chose dont la presse ne parlera pas, bien entendu. Mais vous ne savez peut-être pas que le gros problème, dans le percement d'un tunnel de cette nature, est celui de l'évacuation des déblais. Au lieu de procéder par évacuation au moyen de camions, longs à charger, un ingénieur français a eu l'idée de broyer les déblais sur place, à mesure de leur extraction, de les mélanger à de l'eau de mer et de refouler cette bouillie dans la Manche au moyen de tubes verticaux émergeant du tunnel. C'était osé, et c'est malheureusement aussi un point sensible. Ces tubes, renvoyant sous pression une purée de matières, constituent autant de points faibles. Les adversaires du tunnel l'ont compris sans doute, puisqu'il paraît qu'il y a deux ou trois jours un homme-grenouille s'est attaqué à l'un de ces tubes, en pleine Manche, avec l'intention de le détruire pour provoquer ainsi l'inondation irrémédiable de la partie déjà percée.

— On l'a découvert à temps ?

— Une véritable chance ! Une vedette de la douane, en patrouille de surveillance, a arraisonné le petit bâtiment qui avait amené le saboteur à pied d'œuvre. Depuis ce jour-là, on a immergé des filets métalliques autour des tubes d'évacuation et un bâtiment de la Marine nationale veille en permanence, à proximité. On va abandonner le système, pour revenir au procédé plus long de l'évacuation par convois de camions.

— On bouchera, bien entendu, les tuyaux existant déjà ?

— C'est l'affaire de quelques jours. Mon ami m'a expliqué que l'on allait procéder comme pour le puits de pétrole en feu, par injection, sous pression considérable, de ciment liquide. C'est un retard dans la progression des travaux, évidemment, mais c'est une augmentation du coefficient de sécurité.

— C'est donc bien à cause du sabotage qu'il faut des sauf-conduits, alors ? demanda Daniel.

— Je le crois. Pendant le délai qu'exigera le bouchage des tubes d'évacuation, les orifices constitueront évidemment un point sensible. Mais les saboteurs ne recommenceront pas de sitôt. Leur échec de l'autre jour leur a coûté sans doute trop cher. D'autant que l'effet de surprise est manqué. Il leur faudrait maintenant s'introduire à l'intérieur du tunnel, ce qui me paraît difficile avec les précautions prises ! »

Le déjeuner s'acheva et M. Deville annonça qu'il conduirait les jeunes gens au tunnel, vers trois heures.

III

« Vous voyez, ces barbelés n'existaient pas, il y a trois jours ! expliqua M. Deville lorsqu'ils arrivèrent en vue du chantier.

— Ça ressemble à un camp de prisonniers, c'est dommage ! » estima Daniel.

En fait, ce n'était pas une simple rangée de barbelés qui ceinturait le chantier. On avait utilisé les boudins extensibles, d'un modèle en cours dans l'armée. Ces cylindres hérissés de « picots » avaient été disposés à raison de deux sur le sol et surmontés d'un troisième. Ce système constituait une barrière d'environ trois mètres de large à la base et haute d'autant.

« C'est simple, constata Michel, mais ce doit être difficilement franchissable. »

32

Une équipe d'ouvriers disposait des poteaux portant chacun deux projecteurs.

« La barrière sera éclairée de nuit ! expliqua M. Deville. Il y a des gardiens avec des chiens qui patrouillent continuellement. Je crois que les saboteurs ont définitivement raté leur coup. »

La route n'offrait plus le même aspect crayeux que celle que les garçons avaient empruntée pour venir de la gare. Elle était couverte d'une glaise verdâtre, déposée par les roues des camions à chacun de leurs passages. On n'apercevait à l'intérieur du chantier que des collines de glaise, de moellons grisâtres. Par endroits, les toits de fibrociment des habitations du personnel émergeaient de l'ensemble.

« Nous irons tout à l'heure jusqu'au front de taille ! affirma M. Deville. Si vous le voulez bien, nous allons d'abord rendre visite à mon ami, M. Ramin, qui vous expliquera, sur un plan, le nouveau tracé du tunnel.

— Qu'est-ce que le... le front de taille ? demanda Michel.

— C'est l'endroit précis où l'on attaque la roche, au pic ou par tout autre moyen, qu'il s'agisse de terre ou de charbon. »

Ils étaient arrivés à la porte d'entrée, et au moment où ils allaient la franchir — c'était une barrière de bois garnie de barbelé — le gardien leur fit signe de rester à l'écart.

Son geste fut si impérieux, que M. Deville lui-même ne songea pas à protester. Ils finirent par comprendre ce qui motivait cette injonction. Une animation insolite était perceptible, dans la direction de Dunes.

Deux motocyclistes, des gendarmes de la route, sifflet aux lèvres, surgirent sur la chaussée, roulant au ralenti sur leurs machines pétaradantes. Une petite voiture, surmontée d'un fanion rouge les suivait à distance. Un panneau jaune, fixé à son pare-chocs, annonçait : *Convoi exceptionnel. Danger.*

« Ce doit être une nouvelle excavatrice, indiqua M. Deville. Ramin m'en avait parlé. Un engin d'une puissance extraordinaire qui doit avancer deux fois plus vite que ceux employés jusqu'ici. »

Le convoi apparut enfin, à une allure d'une lenteur au moins aussi impressionnante que sa taille.

Sous de lourdes bâches vertes, une masse très haute et très longue avançait, dressée sur deux remorques porte-char, auxquelles leurs quarante-huit roues donnaient l'aspect de gigantesques mille-pattes mécaniques.

Dans la cabine haut perchée sur le tracteur, trois hommes surveillaient la route. Sur chacune des remorques, deux hommes veillaient sur l'engin.

Le convoi avançait entre une double haie mouvante de curieux qui s'arrêtèrent à la limite du chantier.

« Hé ! regarde, Michel, chuchota Daniel. Il est de toutes les fêtes, celui-là ! »

Michel découvrit dans la direction indiquée l'homme à la pipe, toujours aussi impassible, toujours aussi étrange. Mais cette fois ce n'était pas à Michel ni à Daniel qu'il s'intéressait. Il regardait le convoi, dont il suivait la progression comme un simple badaud.

Machinalement Michel continua à le surveiller. Tout à coup, il tressaillit. L'homme à la pipe venait d'adresser un signe discret à l'un des hommes montés sur la machine. Et l'homme lui avait répondu par un clin d'œil !

« Qu'est-ce que ça peut bien signifier ? » se demanda Michel.

Mais il n'eut pas le loisir de réfléchir plus longtemps à ce problème. M. Deville s'était approché du gardien,

34

une fois que le convoi eut pénétré à l'intérieur de l'enceinte, et il lui montra un laissez-passer spécial.

« Venez, les enfants ! » dit-il.

Tous entrèrent. Mais un préposé à la surveillance de l'entrée se détacha pour les piloter.

« Il est interdit de circuler sur le chantier sans être accompagné », déclara-t-il.

*
* *

Dans le bureau de l'ingénieur principal Ramin, l'ami de M. Deville, l'un des murs était tapissé d'un *planning*[1] géant. L'ingénieur accueillit aimablement ses visiteurs et consentit à leur expliquer le projet en cours.

« Nous avons dû abandonner un projet ambitieux qui consistait à construire un tunnel à deux étages : l'étage supérieur servant d'autoroute et l'étage inférieur comportant deux voies ferrées. Il a semblé préférable de créer de véritables trains-parkings, sur lesquels les voitures automobiles se placeront d'elles-mêmes, au fur et à mesure de leur arrivée, les passagers restant à bord de leur véhicule. Dès qu'une rame sera complète, le signal du départ sera donné. Les trains de marchandises, eux, circuleront de préférence de nuit, ou s'intercaleront entre les trains-parkings, aux heures creuses. Afin qu'un accident, toujours à craindre, ne bloque pas entièrement la circulation, nous avons prévu tous les cinq kilomètres, une voie de dégagement et des aiguillages qui permettront un trafic ralenti certes, mais néanmoins appréciable, en cas de déraillement par exemple. »

Les enfants contemplèrent une maquette montrant le système d'aération du tunnel : un conduit situé au

1. Tableau de prévision d'un travail.

sommet de la voûte et muni de puissants ventilateurs, pour activer la circulation de l'air.

« Nous avons dû abandonner l'idée d'un double étage, poursuivit l'ingénieur, pour résoudre de façon efficace le problème de l'évacuation de l'eau, qui, vous le savez, se pose lors de la construction de tout tunnel, que ce soit en montagne ou simplement, dans le métro, à Paris. Nous avons dû creuser en même temps que le tunnel de circulation proprement dit, et sous lui, un autre tunnel formant galerie d'écoulement, raccordé au premier par des rameaux verticaux. Cette galerie d'écoulement s'abaisse de chaque côté de la Manche jusqu'à soixante-quinze mètres au-dessous du niveau de la mer.

— Et l'eau s'accumule en cet endroit ? demanda Martine.

— Non, elle est évacuée par des pompes, semblables à celles qui existent dans les charbonnages. Elles sont déjà en fonctionnement. Nous avons utilisé, comme puits auxiliaires d'évacuation des eaux, les premiers travaux du siècle dernier. Une galerie de raccordement réunit l'un des puits creusés à l'époque aux travaux actuels. Vous avez ici, sur ce plan, le tracé en pointillé de ces anciens travaux qui ont très bien résisté, d'ailleurs, et de la galerie dont je viens de vous parler.

— En somme, la galerie normale d'évacuation des eaux se trouve presque à la même profondeur que le tunnel au milieu de son tracé, commenta M. Deville, et elle s'abaisse vers les deux extrémités.

— Un autre problème s'est posé à nous, ajouta l'ingénieur : celui des rampes d'accès. Alors qu'une automobile grimpe aisément des pentes égales à 10 pour 100, le chemin de fer, lui, ne peut monter des rampes supérieures à 1 ou 2 pour 100, sans crémaillère du moins. Alors qu'il nous aurait suffi de deux kilomètres de rampe pour la route, il nous faut une rampe de vingt kilomètres pour la voie ferrée. Mais cette construction, n'étant plus sous-marine, ne nous pose que des problèmes mineurs. Si vous le voulez bien nous allons nous rendre sur place. Ce sera beaucoup plus "parlant" qu'un dessin. »

L'ingénieur enferma les plans dans un coffre-fort avant de quitter son bureau.

« On ne prend jamais trop de précautions », dit-il en adressant à M. Deville un regard entendu.

Martine ne connaissait pas encore le chantier.

Elle apprit en même temps que ses amis qu'une centaine de mètres, déjà, s'enfonçaient sous la mer.

Ils traversèrent les amas de terre, amoncelés par des bulldozers qui nivelaient les futures chaussées de l'autoroute prévue pour conduire les automobilistes jusqu'aux quais du train-parking.

« Mais tous ces terrains appartenaient aux gens du pays ? demanda Michel. Il a fallu les exproprier ? »

L'ingénieur éclata de rire.

« Vous avez raison, mon jeune ami ! Et croyez-moi, cette partie du projet n'a pas été la plus facile à résoudre. Cela se conçoit, au fond. Les fermiers tiennent à leur terre, enrichie par le travail de plusieurs générations des leurs. Nous n'avons pas été accueillis à coups de fusil, comme dans certaines régions de France, au moment de la construction des barrages hydro-électriques, mais c'était tout juste. »

M. Deville intervint à son tour.

« D'ailleurs, aucun des ouvriers qui travaillent au tunnel n'est du pays !

— Sauf votre ami... du moins le fils de votre ami Ronchot... rectifia l'ingénieur. Après avoir été l'un des adversaires acharnés du tunnel, il a consenti à travailler ici ! Vous le verrez sans doute, il est employé à la station de pompage.

— C'est un pauvre garçon. Il est très diminué par un coup de pied d'âne qu'il a reçu sur le front, alors qu'il était enfant, expliqua M. Deville. Il faut avouer que son père avait quelque raison de n'être pas satisfait : le tunnel avec ses dépendances lui a enlevé quelques-unes de ses meilleures parcelles !

— Bah, nous allons amener une autre forme de prospérité, dans le pays. Ceci compensera cela ! » conclut l'ingénieur.

A la suite de M. Ramin, ils pénétrèrent dans le chantier. Une véritable toile d'araignée d'échafaudages en tubes métalliques soutenait un coffrage de bois.

« Il s'agit là d'une sorte d'auvent très audacieux de conception qui ne repose que sur un pilier central, situé entre l'extrémité de l'autoroute et la double voie ferrée. Vous constaterez que nous posons le ballast à mesure que nous avançons. Nous avons remplacé les traverses traditionnelles en chêne par des traverses en béton

précontraint[1]. Mais les rails, bien entendu, ne sont pas encore en place. Nous avons adopté temporairement un chemin de roulement en tôle forte perforée analogue à celle utilisée, pendant la dernière guerre, pour la confection rapide des aérodromes de fortune. Nos camions y circulent aisément. »

Ils dépassèrent les deux gares en construction et pénétrèrent dans le tunnel. Celui-ci consistait en deux galeries, au gabarit d'un train normal, séparées par une galerie moins importante destinée à la circulation des employés du tunnel. Cette galerie était surélevée d'un mètre environ par rapport au niveau du ballast.

« Mais... on dirait que les ventilateurs fonctionnent déjà ! s'étonna Daniel.

— Nous avons dû les installer et les faire fonctionner, vous ne vous trompez pas. Les gaz d'échappement des camions vicient très rapidement l'atmosphère. Il n'était pas question de maintenir les ouvriers du front de taille dans cet air vicié. D'ailleurs, c'est un travail très pénible. Il faut arroser continuellement les mèches des excavatrices avec de la boue liquide sous pression. Et le "poste", c'est-à-dire la durée de la présence d'un même ouvrier, n'est que de trois heures, suivi d'un repos de deux heures avant un nouveau poste de trois heures. C'est une journée de huit heures pour six heures de travail effectif. Tout n'a pas été facile. Il a bien fallu deux mois de rodage à l'ensemble du chantier. Et pourtant le premier coup de pioche, si j'ose m'exprimer ainsi, avait été précédé d'une étude minutieuse de deux années ! Il est malheureusement trop vrai que le théoricien le plus inspiré ne saurait penser à tout, nous en avons eu la preuve ici même ! En revanche, de simples

1. Béton compressé autour d'une armature d'acier préalablement étiré.

ouvriers nous ont fourni des idées pratiques dont la mise en application s'est révélée très fructueuse. L'utilisation des anciens puits comme station de pompage est de celles-là. Elle nous a épargné le souci de creuser de nouveaux puits verticaux. »

A mesure que les visiteurs avançaient sur le ballast, garni de bandes de métal perforé, un bruit assourdissant s'amplifiait. D'énormes camions les obligeaient à tout instant à s'écarter pour leur laisser le passage. Ils roulaient à faible vitesse jusqu'au front de taille, pour y charger les déblais.

Brusquement, à une quinzaine de mètres d'énormes machines qui foraient la roche, le coffrage de la cloison centrale cessa. La galerie n'était plus qu'une immense grotte d'apparence naturelle, où de l'eau suintait.

« Nous ne pouvons coffrer cette cloison, expliqua M. Ramin en réponse à une question de Michel, que lorsque le creusage a avancé suffisamment et laisse assez de place aux manœuvres des camions. Il est bien évident que la solution du rejet des débris broyés à la mer était une solution plus économique et aussi plus rapide, même si elle se révélait plus délicate. Hélas !... force nous est de l'abandonner ! »

Il emmena les jeunes gens d'abord sur la galerie centrale destinée à la circulation des employés. Puis, de là, il leur montra les orifices d'aération, munis d'énormes ventilateurs, encastrés dans le plafond et communiquant avec la galerie chargée d'évacuer l'air vicié. L'un des orifices ne possédait pas de ventilateur, mais des tuyaux d'un diamètre impressionnant y passaient. Un échafaudage les soutenait. Dans la paroi verticale de la galerie de circulation des barreaux de fer constituaient une échelle qui permettrait, plus tard, d'accéder au ventilateur, en cas de besoin.

A l'aplomb de cet orifice libre, une bétonnière produisait le matériau nécessaire au rebouchage des trous d'évacuation des déblais.

« Dans une semaine, voyez-vous, expliqua M. Ramin, nous serons "hors d'eau", comme disent les maçons. C'est-à-dire que notre toit sera de nouveau à l'épreuve de la mer. »

Ils revinrent vers M. Deville qui les attendait non loin du front de taille. Michel s'étonna tout à coup de l'interruption soudaine du manège des camions.

« C'est qu'ils laissent la voie libre à la nouvelle excavatrice que vous avez dû voir arriver, expliqua l'ingénieur. C'est un modèle qui permettra un rendement deux fois plus élevé en pénétration d'abord, puis dans l'enlèvement des déblais. Elle charge elle-même les camions à l'aide d'un tapis roulant qui amène directement les roches du front de taille jusqu'à hauteur de chargement. »

On repartit vers la sortie. Les jeunes gens remar-

quèrent que, par places, très régulièrement, la petite galerie centrale s'ouvrait sur les deux galeries de circulation, par de larges baies, garnies d'une rambarde en tube et munies d'une échelle à barreaux encastrés qui permettait de passer de l'une dans les autres. D'un bout à l'autre du sentier souterrain, une guirlande d'ampoules éclairait vivement les galeries.

Lorsque le groupe atteignit l'endroit où le tunnel commençait sa pénétration sous la Manche, les jeunes gens furent surpris de découvrir l'amorce d'un second tunnel, qui semblait se diriger vers l'intérieur des terres.

« C'est exact, en effet ! convint l'ingénieur. Ce tunnel va chercher les trains de marchandises à une vingtaine de kilomètres à l'intérieur. C'est la conséquence de ce que je vous ai expliqué au sujet des pourcentages de rampe tolérés par les trains. Il n'est qu'amorcé, sa réalisation ne nous pose vraiment aucun problème particulier. En revanche, pour limiter le séjour sous terre des automobilistes, les trains-parkings seront formés ici et ne dépasseront jamais Dunes. »

La visite se poursuivit dans les annexes du tunnel pendant plus d'une heure.

Au moment de prendre congé, M. Ramin invita les jeunes gens à revenir quelques jours plus tard, lorsque la nouvelle excavatrice serait au travail.

« Vous n'avez qu'à appeler le poste 19, c'est le mien. Je ferai porter à l'entrée les autorisations nécessaires que vous n'aurez qu'à demander au gardien. »

*
* *

« Alors, toujours aussi convaincu de l'inutilité du tunnel ? demanda M. Deville à Daniel, en plaisantant.

— C'est un chantier impressionnant, admit celui-ci.

Mais tout cela est bien fragile, au fond. Il me semble que le moindre sabotage risque d'entraver le trafic pour longtemps et même d'endommager très gravement le tunnel.

— Bah ! déclara le père de Martine, je persiste à croire que la tentative de l'autre jour n'était l'œuvre que de quelques illuminés. »

IV

Ce fut en revenant de cette visite au tunnel qu'ils rencontrèrent Justin Ronchot. Le jeune garçon exécutait une savante voltige sur une antique bécane. Il rougit très fort lorsqu'il se vit observé par Martine et ses amis.

« Compliments, Justin ! Ton demi-tour était parfait ! s'exclama Michel.

— Jamais rien vu d'aussi réussi ! » proclama Daniel.

Ces éloges eurent pour effet de rendre sa sérénité au jeune garçon.

« La ducasse ouvre ce soir ! expliqua-t-il, enthousiaste. Pas le cirque, mais les baraques ! Il y a même un tir ! C'est la première année. Il vient d'arriver tout juste. »

M. Deville abandonna le groupe pour aller voir Martial et prendre des nouvelles de sa voiture.

« Il y a un tir ? s'exclama Martine. Nous pourrions faire un concours ! J'adore tirer sur les pipes ou gagner des fleurs.

— Moi aussi, admit Michel. Daniel, tu en es ?

— Et comment ! Surtout s'il y a un enjeu !

— Un enjeu ? Comment ça ? questionna Martine.

— Je ne sais pas, moi, disons que le gagnant... sera invité au cirque par les autres... ça va ?

— Adopté ! conclut Michel. Et toi, Justin, tu en es ? »

Justin rosit encore avant de protester.

« J'aime mieux prendre la carabine de mon père et tirer dans la pâture ! Mais je viendrai vous voir... c'est ce soir, alors ?

— A ce soir, entendu ! Tu ne viens pas à la plage avec nous ?

— Que si ! Je vais laisser la bécane à la maison et prendre mon maillot. Je vous rattrape ! »

Sans attendre M. Deville, qui était toujours chez Martial, le trio reprit le chemin de Finiterre. Une demi-heure plus tard Justin les rattrapait en vue de la villa, mais à bicyclette.

« Tu as conservé ton cheval ? plaisanta Martine.

— Pour sûr ! La mère a voulu que je lui fasse une commission, avant de venir. Elle fait des confitures de groseilles, lui a fallu de la paraffine pour les couvrir ! J'ai tout pris chez Zoé, l'épicière, l'en restait plus guère ! Une chance encore qu'il y en avait, sans ça c'était à Bazinghen, qu'il fallait que j'aille. J'étais pas revenu de sitôt ! »

*
* *

La mer n'était pas encore très haute, lorsqu'ils débouchèrent sur la plage quelques instants plus tard.

45

Une large portion de grève restait découverte et Martine triompha.

« Quand je te le disais qu'il n'y avait pas de rocher ! Regarde, Michel, lisse comme la main ! »

Des algues et des goémons recouvraient par places le sable uni.

« Pour ça, sûr qu'il n'y a pas de rocher, par ici ! confirma Justin.

— Tu n'aurais pas dû laisser ton vélo à Finiterre, Justin ! grommela Daniel. On s'en serait servi chacun son tour pour aller se baigner ! »

Michel s'était éloigné. Les yeux fixés sur le sable, il écartait un à un les paquets d'algues, du bout de son pied nu.

« Tu cherches ton épave ? demanda Martine, moqueuse. Tu peux chercher ! Si tu crois que la marée descendante ne l'a pas emportée !

— On verra ! »

Martine décida Daniel et Justin à aller au-devant de la mer.

« Pas trop loin quand même ! déclara Justin. Y a des mauvais fonds, du mou et une fois qu'on est dedans, bernique, plus on remue plus on s'enfonce !

— Tu crois ?

— C'est Alex, mon frangin, qui me l'a dit. »

Ils ralentirent l'allure, rendus prudents par l'avertissement. Un appel les fit se retourner.

« Hep ! Martine, Daniel, j'ai trouvé mon épave ! Venez voir ! »

Michel agitait les bras. Ils firent demi-tour et le trouvèrent accroupi, occupé à dégager un objet du sable. Ils s'agenouillèrent à leur tour.

« En fait d'épave, elle est plutôt bizarre, constata Daniel. A ta place je me méfierais ! Ça ressemble à une mine.

46

— Une mine ? protesta Justin. Penses-tu ! Une mine, c'est rond et c'est gros... au moins comme ça, acheva-t-il en écartant les bras.

— Bien sûr, concéda Daniel. Tu veux parler des grosses mines marines ! Je parle, moi, des pièges individuels...

— Tu en sais des choses ! plaisanta Martine.

— Mon père était officier, c'est pour ça ! Il y avait toute une documentation dans son bureau sur les mines et les pièges ! »

Pendant ce temps, Michel, prudemment, avait dégagé une boîte rectangulaire, au couvercle légèrement bombé, en bakélite noire, de la taille d'un paquet d'un kilo de sucre. Justin, peu rassuré, s'était tenu à bonne distance.

« Ce n'est peut-être pas prudent, Michel, de toucher à ça, Daniel a raison ! suggéra Martine. J'ai toujours lu qu'il fallait éviter ce genre d'engin !

— Bah ! même si c'est ce que croit Daniel, tout doit être mouillé et hors d'usage ! répliqua Michel. Ecartez-vous, si vous avez peur. »

En même temps il souleva la boîte, et rien ne se produisit. Il la retourna.

« Tenez, il n'y a pas longtemps qu'elle est immergée. Les vis qui retiennent le couvercle sont à peine rouillées. Oh ! regardez... »

Il leur désignait, sur l'un des côtés, un bouchon de bois gonflé par l'eau qui saillait d'un centimètre environ de la paroi.

« Tu devrais bien laisser ça tranquille ! insista Martine.

— Bon, ça va ! On va aller se baigner ! » concéda Michel.

Mais auparavant, il alla dissimuler sa trouvaille sous ses vêtements.

Le bain leur fit oublier l'incident. Ce ne fut qu'au retour, lorsque Michel manifesta l'intention de rapporter l'engin à Finiterre, que Martine protesta.

« Ah ! non, Michel ! Tu ne vas pas emmener ça à la maison ! Je ne dormirai pas tranquille, si je sais que ce truc-là est au sous-sol ! Et je suis bien certaine que papa ne serait pas content ! »

Michel fronça les sourcils, mais il finit par se rendre à l'évidence. Ils étaient, Daniel et lui, les invités de Martine. Il eût été incorrect de passer outre.

« Bon, ça va ! plaisanta-t-il. On va respecter ton sommeil ! Mais comme je tiens à savoir ce que cet engin-là a dans le ventre, je vais le dissimuler dans le sable, tout près du sentier et je reviendrai demain, aux aurores, avec un outil ! »

Il ne fut plus question de la boîte une fois que Michel eut mis son projet à exécution. Pour retrouver plus sûrement l'engin, il déracina une touffe d'herbe en bordure du sentier et la replanta à côté de la boîte.

« Je préfère ne rien dire à papa ! glissa Martine à Michel avant de prendre le sentier. Il n'aime pas ces sortes de choses. Et si tu étais chic, tu n'y toucherais plus.

— C'est entendu, va ! Après tout, je me moque de ce que contient la boîte. C'était une simple curiosité... »

*
* *

Le soir, ils obtinrent la permission d'aller jusqu'à la ducasse dont les lueurs étaient visibles sur le ciel où elles formaient un halo orange.

« Nous allons faire un concours de tir ! expliqua Martine à ses parents.

— Ne rentrez pas trop tard, surtout ! recommanda

Mme Deville. Cette année, avec le tunnel, il peut y avoir toutes sortes de gens, sur les chemins ! »

Les garçons descendirent dans leur chambre, pour se changer. Tout en s'habillant ils se firent part de leurs premières impressions sur leur séjour.

« En dehors de la plage, c'est plutôt calme, ici ! constata Daniel. Et la ducasse, c'est bien gentil, mais ça ne vaut pas la foire de la Saint-Jean, à Amiens !

— Bah ! les Deville sont sympathiques, Martine est une chic fille. On va passer quinze jours formidables. Nous serons en pleine forme pour le reste des vacances ! »

Quelques instants plus tard, ils quittaient la villa en compagnie de Martine.

« Tu sais d'où ça vient, toi, ce mot-là : *ducasse* ? demanda Michel. Il n'y a que dans le Nord que les fêtes s'appellent comme ça !

— Papa me l'a expliqué. Ça vient des fêtes de consécration des églises. Je crois que ça s'appelait la fête de la dédicace. Comme on choisissait le jour du saint patron d'une paroisse pour consacrer l'église et que la fête d'un pays tombe presque toujours le même jour, on a dû continuer à appeler cette fête la fête de la dédicace. On a dû dire, après, la dédicace tout court, et le mot est devenu "ducasse" !

— Chapeau ! Explication lumineuse ! Eh bien, mes enfants nous allons faire un carton en l'honneur de la dédicace ! » s'écria Daniel.

Au loin, en direction du village, une rumeur montait, exagérée encore par le contraste du silence et du calme de la montagne.

Lorsqu'ils débouchèrent sur la place, ils furent surpris par le changement d'aspect que lui donnaient les lumières, l'éclat factice des baraques et les guirlandes d'ampoules multicolores.

« C'est drôle, quand même ! constata Michel. Ça a

beau n'être qu'une fête de village, dès que la nuit vient et que les lumières s'allument, c'est attirant. »

Bien que le jour d'ouverture de la ducasse fût inhabituel, une foule considérable couvrait déjà la place. En grande majorité d'ailleurs, il s'agissait d'ouvriers du chantier. Seules les baraques étaient ouvertes, ainsi qu'un manège pour les jeunes enfants qui compensait son éloignement du centre de la place par la sonorité de son haut-parleur.

« Si nous voulons faire notre concours de tir, c'est le moment ! déclara Martine. Il n'y a pas encore trop de monde au stand ! Profitons-en ! »

En se dirigeant vers la baraque, ils se heurtèrent presque à Justin Ronchot qu'accompagnait un homme assez jeune — il pouvait avoir vingt-six ou vingt-huit ans — mais défiguré en partie par une cicatrice au front.

« C'est mon frère Alex, déclara fièrement Justin à l'intention des deux garçons. Il travaille au tunnel !

— Bonsoir, monsieur Alex ! dit Martine. Michel et

Daniel sont des amis qui sont venus passer quelques jours à la maison. »

Alex Ronchot sortit lentement de sa poche une large main hâlée qu'il tendit aux jeunes gens,

« Alors ? On s'amuse ? » demanda-t-il avec un sourire un peu narquois, qui ne parut pas très cordial aux deux cousins.

Justin semblait naïvement fier de la force de son frère. Pourtant, avec son épaisse chevelure brune qui dégageait à peine son front, Alex n'avait pas l'air très intelligent. Ses yeux brillaient même un peu trop peut-être, comme s'il était, du fait de sa blessure ancienne, la proie d'une surexcitation continuelle.

Ne sachant trop comment alimenter une conversation difficile, Martine déclara :

« Nous allons faire un concours, au stand de tir, vous venez avec nous, Alex et Justin ?

— Non, merci, j'ai à faire ! répliqua Alex assez sèchement. Si Justin veut aller avec vous...

— Non, je reste avec toi ! répondit aussitôt celui-ci.

— Bon, eh bien, dans ce cas-là, bonsoir et bon amusement ! » conclut l'aîné des Ronchot.

Les deux frères s'éloignèrent dans la foule.

« Alex est un pauvre garçon ! » expliqua Martine qui s'était rendu compte de l'impression peu favorable que le frère de Justin avait produite sur ses amis. « Il n'a vraiment pas eu de chance. Il a reçu un coup de pied d'âne, lorsqu'il était petit et il a dû être trépané. Vous avez remarqué la cicatrice profonde sur son front. Il n'est pas toujours de bonne humeur... Encore moins que son père, ajouta-t-elle en riant.

— Justin disait qu'il travaillait au tunnel... M. Ramin nous l'avait dit aussi... Comment se fait-il qu'il se soit décidé ? Puisque les Marindunois gardent une dent contre l'entreprise qui les a dépossédés de leurs terres...

— Sans doute y avait-il moins de travail à la ferme, du fait que les terres, justement, étaient moins importantes, en surface. Mais, dites donc, vous n'avez pas l'air d'avoir tellement envie de le faire ce concours de tir ! Auriez-vous peur que je vous batte ?

— Tu vas voir ! » protesta Daniel.

Ils arrivèrent devant la baraque de tir. Une ampoule éclairait en plein l'enseigne. Une énorme rose bleue, naïvement peinte, et semblait-il de fraîche date, justifiait le nom de l'établissement : *A la Rose bleue.*

Sur la plate-forme, devant le comptoir revêtu de velours rouge où les armes attendaient les amateurs, les jeunes gens hésitèrent.

« Les pipes ou les fleurs ? demanda Michel.

— Les fleurs ! s'exclama Martine. La difficulté est la même puisqu'elles sont montées sur des bouts de tuyau de pipe, et c'est plus joli ! Qui commence ?

— Toi, bien entendu. Honneur aux demoiselles ! riposta Daniel.

— Tu peux te moquer ! Rira bien qui rira le dernier... »

Elle choisit une carabine légère et le forain la chargea. Martine visa longuement, trop sans doute, car la balle claqua sur la tôle, trop bas.

« *Fine !*[1] s'écria, Michel, en anglais, sans l'avoir médité.

— *Wonderful !* renchérit Daniel. *Quite a shot*[2] ! »

Martine, belle joueuse, éclata de rire.

« *Look at this one !*[3] » s'exclama-t-elle, entrant dans le jeu.

---

1. Equivalent de « Très bien », « Epatant ».

2. « Merveilleux ! Quel coup ! »

3. « Regarde celui-ci ! »

Mais deux fois encore, la balle passa à côté du tuyau qui supportait la fleur.

« Prends ton temps, Martine », conseilla Michel.

La quatrième balle fit mouche et la jeune fille reçut une fleur de plumes bleues. Le cinquième essai fut un échec.

« Une fleur en cinq coups ! Qui dit mieux ? s'écria Martine, sans mauvaise humeur.

— A nous ! » s'exclama Daniel.

Les deux garçons décidèrent de tirer ensemble. La présence du trio et les exclamations avaient attiré d'autres clients, et les six places du comptoir furent bientôt occupées. Le forain dut appeler à son aide un jeune garçon, très blond, joufflu et rouge comme une pomme qui l'aida à charger les carabines.

La première balle ne fut qu'une balle d'essai, pour l'un et l'autre des garçons. Puis Michel décrocha deux fleurs coup sur coup. Daniel, après un succès au second coup, rata le troisième, puis le quatrième, comme Michel.

« *The last, but not the least[1] !* s'écria Michel. La rose bleue ! »

Cette rose joliment faite de plumes bleues, plus importante que les autres fleurs, était aussi plus difficile à toucher. Elle tournait au centre du panneau, au bout d'une tige métallique, entraînée par un mécanisme. Elle semblait justifier l'enseigne de la baraque.

« Elle est à moi, Michel ! » s'écria Daniel.

Mais celui-ci tira trop précipitamment et sa dernière balle rata l'objectif.

« Mon vieux Daniel, elle est à moi ! » ironisa Michel.

Il épaula, visa soigneusement et lâcha son coup. La rose bleue tomba au moment où un autre client tirait.

1. « La dernière, mais non la moindre. »

« Gagné ! s'écria Michel. A moi la rose bleue ! »

Mais le forain sembla tout à coup moins aimable. Alors qu'il avait jusque-là chargé les carabines en souriant et en adressant des encouragements aux jeunes gens, il fronça les sourcils et déclara d'un ton sans réplique :

« Pas du tout, elle est à monsieur ! »

Stupéfaits, Michel, Martine et Daniel se tournèrent vers le tireur qui leur disputait la rose bleue et ils retinrent une exclamation de surprise ! L'homme, qui les regardait en souriant, n'était autre que le géant roux qui avait disparu si habilement du train pour éviter le contrôle policier ! Celui que Michel avait aperçu consultant une carte à l'orée du bois. Un tatouage bleu, en forme de trait épais, dépassait du poignet de sa chemise.

Le premier moment de surprise passé, Michel protesta.

« Mais pas du tout ! Je suis certain d'avoir touché la fleur, elle est à moi !

— C'est vrai, intervint Daniel. Michel a tiré avant vous ! »

Martine les soutint à son tour et s'adressant au géant elle ajouta :

« Vous n'êtes pas beau joueur, monsieur, vous devriez en convenir ! »

Le forain avait donné la rose bleue au géant qui souriait en hochant la tête et paraissait s'amuser beaucoup.

« Pas beau joueur ? dit-il brusquement, avec un fort accent britannique.

— Non, pas du tout ! » répéta Martine.

Sans ajouter un mot, le géant contempla la rose, puis son regard se porta sur un point situé hors du stand, au-delà de la jeune fille. Brusquement son sourire se figea, il posa la carabine qu'il tenait encore à la main.

« Tiens ! » dit-il en tendant la rose à Michel.

Il fit demi-tour et s'éloigna rapidement de la baraque. Martine distingua encore un instant la chevelure rousse au-dessus de la marée des têtes, puis plus rien...

« Hé ! là ! s'écria le forain. Vous oubliez de me payer ! »

Mais son client avait disparu dans la nuit.

Les trois jeunes gens se retournèrent, machinalement, intrigués par le manège insolite du géant. Dans la direction où son regard s'était porté, quelques secondes plus tôt, ils ne virent tout d'abord que le personnage très brun qu'ils avaient rencontré en revenant de la plage le matin. Mais l'homme du cirque ne paraissait pas s'intéresser au stand. Il fumait tranquillement une cigarette en suivant la roue d'une loterie voisine.

Un autre spectateur se retourna et Michel heurta Daniel du coude :

« Encore lui ! murmura-t-il. L'homme à la pipe, de ce matin. »

C'était, en effet, l'homme à la cotte kaki ! Bien qu'il eût troqué son vêtement de travail pour un costume de toile beige, il était nettement reconnaissable.

Chose étrange, Martine nota que le forain avait regardé, lui aussi, dans cette direction, avant de tendre la rose à Michel, avec un sourire obséquieux.

« Eh bien... la rose est à vous, monsieur... tous mes compliments ! »

Martine se demanda pourquoi l'homme avait éprouvé le besoin de clamer aussi fort cette phrase banale. Michel, sa rose à la main, rencontra le regard de l'homme du cirque, mais ce fut sans doute par hasard, car celui-ci ne parut pas attacher une particulière importance à l'incident.

Un peu éberlué par la succession des événements, Michel se ressaisit. Il passa la rose bleue à sa boutonnière.

« A moi le cirque gratis ! » s'écria-t-il.

Mais ni Martine ni Daniel ne répondirent. Michel suivit la direction de leur regard et aperçut l'homme au complet beige qui, après avoir esquissé un mouvement vers le stand, venait de s'enfoncer dans la foule, en s'y frayant un chemin, à grands renforts de coups de coude... dans la direction que semblait avoir prise le géant roux !

V

Les trois jeunes gens avaient quitté le stand de tir, mécontents de l'incident qui avait gâché leur plaisir. Ils se sentaient mal à l'aise aussi à cause de la touffeur de l'air. Des nuées basses, gonflées de menaces, traversaient le ciel, et l'atmosphère était devenue irrespirable. Ils se frayèrent un chemin jusqu'à l'extrémité libre de la place où ils s'arrêtèrent un instant pour savourer le calme relatif de l'endroit.

« Ouf ! s'écria Daniel, on respire un peu mieux ici. Quelle cohue ! »

Michel regardait fixement le ciel. Un éclair silencieux déchira l'horizon d'une longue traînée mauve.

« Nous ferions peut-être bien de filer ! J'ai l'impression que nous aurons de la peine à regagner Finiterre avant la sauce !

— Tu crois ? Dans ce cas-là, filons comme tu dis ! j'ai horreur d'être prise dans un orage ! »

Ils s'éloignèrent rapidement vers la route de Finiterre.

« Je n'ai pas encore compris ce qui s'est passé ! constata Daniel. Le grand rouquin a disparu comme s'il avait le diable à ses trousses.

— En fait de diable, j'ai bien l'impression que c'est l'arrivée de l'homme à la pipe qui lui a fait prendre la poudre d'escampette, estima Michel.

— Mais dites donc, ça devient passionnant votre histoire ! On devrait écrire un roman policier. Ça ferait un bon début ! Un tortillard antédiluvien, un géant roux qui saute en marche, un quidam qui fume la pipe partout à la fois, tout y est !

— Tu as un peu trop d'imagination, Martine ! s'exclama Michel. Cet homme à cheveux rouges est vraiment trop visible pour être dangereux, tu sais bien que les traîtres sont toujours couleur de muraille ! Je crois plutôt qu'il a une bonne raison pour ne pas demander de sauf-conduit. Il joue simplement à cache-cache avec l'homme à la pipe, qui, lui, doit être un des préposés aux vérifications. C'est simple et ça explique tout ! »

Un éclair plus proche, suivi presque aussitôt par un grondement fracassant, interrompit la discussion. Ils venaient d'arriver au carrefour des « Quatre-Chemins ».

« Pas gymnastique ! commanda Michel. Je viens de recevoir une goutte grosse comme un œuf de pigeon ! »

La pluie tomba, tout de suite violente, agressive, suffocante. Bientôt, les trois jeunes gens cessèrent de courir. Leurs vêtements étaient trempés, déjà, et se hâter n'aurait rien changé à l'affaire.

« Quelle douche ! grommela Daniel. Deux bains et deux douches, c'est beaucoup pour une seule journée !

« — Mais tu ne risques pas de prendre un coup de soleil sur le nez ! » riposta Michel.

La pluie diminua d'intensité pour s'installer, tranquille, déterminée.

Brusquement, Daniel se retourna et retint Michel par le bras.

« Ecoute, lui souffla-t-il, tu n'entends rien ? »

Michel s'arrêta et prêta l'oreille.

« Non... qu'est-ce qu'il fallait entendre ?

— J'avais l'impression que quelqu'un courait derrière nous.

— C'est le bruit de la pluie, mon vieux !

— Je te dis que j'ai... »

Mais il n'acheva pas. Une lampe électrique venait de s'allumer, *devant eux*, et le faisceau les retenait captifs.

« Qu'est-ce que c'est ? gronda Michel, tout de suite sur la défensive.

— Halte à la douane ! » répliqua un personnage, revêtu d'un ciré noir, en s'avançant dans le halo de la lampe.

Sans bien comprendre pourquoi, Michel éprouva un soulagement intense. Sans doute, après l'incident de la soirée et les craintes de Daniel, un instant plus tôt, avait-il cru à autre chose.

« Mais c'est Mlle Deville ! s'exclama le douanier qui s'était avancé. Mlle Deville qui a été à la ducasse, on dirait ! Ces jeunes gens sont vos amis, sans doute ? »

Martine fit rapidement les présentations.

« Allez vite, je ne vous retiens pas, ce n'est pas le moment par cette pluie.

— Mais vous-mêmes ? demanda la jeune fille.

— Oh ! nous, c'est différent. Cela fait plusieurs soirs que l'on nous signale une barque suspecte, dans les parages ! Je crois bien que les gens du pays ont des visions. Ce n'était peut-être qu'un pêcheur amateur ! Bonne nuit, jeunes gens ! »

Les deux hommes reprirent leur chemin vers le village, laissant les jeunes gens éblouis, dans une obscurité plus dense, par contraste.

« Il y a donc de la fraude, par ici ? demanda Daniel. La frontière belge est pourtant assez loin !

— Je n'en sais rien, reconnut Martine. Je crois qu'il y a des douaniers tout le long de la côte, ce qui ne signifie pas qu'il y ait des fraudeurs à Dunes. »

Ils étaient arrivés en vue de Finiterre qui, à chaque éclair, se silhouettait sur le ciel illuminé. Daniel se retourna plusieurs fois, mais sans doute n'entendit-il plus rien car il ne fit plus allusion aux bruits de pas qu'il croyait avoir perçus, quelques instants avant la rencontre des douaniers.

La pluie cessa aussi brusquement qu'elle avait commencé, au moment où ils atteignaient la barrière de la villa.

Les arbres s'égouttaient lentement, lorsqu'ils traversèrent le parc. Au moment de se séparer, Martine s'approcha de Michel et d'un geste preste, elle lui subtilisa la grosse rose bleue qu'il portait à sa boutonnière. Sans lui laisser le temps de protester, elle s'élança dans l'escalier du perron.

« Tu me paieras ça demain ! » s'exclama Michel en riant.

La jeune fille disparut à l'intérieur de la villa et les deux cousins entrèrent dans leur chambre, au sous-sol. Daniel tourna le commutateur et une lumière jaunâtre éclaira assez faiblement la pièce. Michel retira sa veste trempée. Un papier vert, froissé, tomba sur le sol.

Le garçon se baissait pour le ramasser lorsque la lumière devint très vive, presque blanche, pendant quelques secondes, avant de s'éteindre.

« Flûte ! s'exclama Daniel. Une panne ! Trempés comme nous le sommes, ça va être gai, pour se changer !

— La lampe est grillée, oui, c'est ça la panne ! affirma Michel. Nous sommes bons pour rester dans le noir jusqu'à demain matin ! On ne peut pas déranger nos hôtes pour une ampoule ! A moins que nous ne parvenions à mettre la main sur nos sacs. Les lampes de poche doivent se trouver dans la pochette centrale. »

Daniel déposa sur une étagère les fleurs qu'il tenait à la main, puis alla ouvrir la fenêtre étroite, condamnée par des barreaux, qui donnait sur le jardin, à quelques centimètres du sol. L'orage avait débarrassé le ciel des nuées menaçantes. La lune donnait à plein ; la fenêtre découpait dans le mur sombre un rectangle lumineux qui se projetait sur le sol. Le clair de lune provoquait aussi, dans le jardin, des ombres longues, impressionnantes.

« Brr ! gémit Daniel, pour rire. Quand j'étais plus petit, j'avais peur de l'ombre des arbres, la nuit ! Et c'est drôle, j'ai beau savoir maintenant que c'est stupide, qu'il n'y a aucun danger, ça ne m'empêche pas de ressentir encore un petit frisson dans le dos, comme si... »

Mais il s'interrompit et Michel, sans comprendre, le vit s'écarter vivement de la fenêtre avant d'y revenir pour ne plus risquer qu'un œil, en se dissimulant contre le mur.

« Qu'est-ce que tu fabriques ? » s'étonna-t-il.

Un geste impérieux de son cousin lui intima de se taire. Michel rejoignit Daniel près de la fenêtre.

« Je te le disais bien qu'on nous suivait, tout à l'heure ! lui murmura celui-ci, à l'oreille.

— Penses-tu ! »

Mais Michel reçut sans douceur le coude de Daniel dans les côtes. Une ombre venait de passer devant la fenêtre, furtive et pressée. Les deux garçons se rejetèrent

vivement en arrière. Le cœur battant, ils restèrent
immobiles pendant quelques secondes, avant de se
retrouver à la fenêtre, cherchant à scruter les ombres du
jardin.

« Ils sont partis de l'autre côté de la maison, murmura
Daniel.

— "Ils sont"... tu en as vu plusieurs ?

— Trois... en tout... Deux d'abord, puis un troisième...

— Hum... ça se corse ! Qu'est-ce qu'ils viennent faire
ici, ceux-là ? On va voir ?

— Il faudrait laisser la porte ouverte... Nous ferions
peut-être bien d'avertir M. Deville...

— Peut-être, mais le temps de le réveiller, et avec le
bruit que nous ferons, les autres seront loin.

— Tu as raison, conclut Michel. Le mieux c'est
encore d'aller voir nous-mêmes ce qui se passe. »

Daniel n'hésita pas. Ce n'était pas la présence de

rôdeurs inconnus autour de la villa qui pouvait les effrayer. Michel, par prudence, s'empara d'un rouleau de bois qu'il avait remarqué l'après-midi et qui avait dû servir à enrouler un store.

Ils ouvrirent très doucement la porte du sous-sol. La lune s'était enfin dégagée des frondaisons et elle éclairait en plein le jardin et la maison. Michel referma soigneusement la porte.

« Ne restons pas ensemble, conseilla Michel à mi-voix. En cas de danger, un coup de sifflet... d'accord ? »

Ils s'approchèrent du coin de la villa. Daniel suivant Michel à quelques mètres. Michel risqua un œil et fit signe que la voie était libre. Ils longèrent ainsi le pignon de la maison pour répéter le même prudent manège à l'angle suivant.

Ils tournèrent ainsi autour de l'habitation, pour se retrouver dans le jardin, à leur point de départ.

« Il n'y a plus personne ! » constata Michel à mi-voix.

Daniel allait répondre, lorsqu'une voix appela faiblement :

« Michel... Daniel... »

Surpris, les deux garçons relevèrent la tête, persuadés que l'appel venait d'une des fenêtres de la villa. Mais les volets étaient fermés et la façade était tranquille. Aucune ombre ne s'y profilait.

« Qu'est-ce que... ? commença Daniel.

— Michel !... Daniel !... » reprit la voix.

Cette fois, il n'y avait aucun doute, l'appel venait des bosquets du jardin.

« C'est une voix d'homme, non ? demanda Daniel. Qui ça peut-il être ? M. Deville ? En tout cas, il nous a aperçus, puisqu'il nous appelle par notre nom. Où peut-il bien être ?

— Le plus simple c'est de le chercher, tiens, au lieu de discuter ! Suis-moi ! »

Ils s'enfoncèrent dans une allée qui sinuait entre les arbres et les bosquets. Mais ils atteignirent la limite de la propriété sans avoir aperçu une seule ombre ! Ils allaient rebrousser chemin, lorsque le même appel retentit, sur leur droite, cette fois.

« Michel.. Daniel... »

« Ça c'est trop fort, j'aurais juré que c'était dans cette direction que j'avais entendu l'appel ! grommela Michel. Reste là, je vais aller voir ! »

Daniel resta seul dans l'allée, en se demandant où cette aventure allait les conduire.

« Qui peut bien nous appeler ainsi ? se demanda-t-il à mi-voix. C'est peut-être une blague ? Mais ce n'est pas la voix de Martine, de toute façon, et personne d'autre ne nous connaît, dans le pays... Alors ? »

« N'empêche que Michel est bien long à revenir, se dit-il au bout d'un instant. Tant pis, je vais voir ce qu'il devient ! »

Il filait déjà dans la direction où son cousin était parti, lorsqu'il se heurta presque tout de suite à lui, qui revenait.

« C'est de la sorcellerie ! grogna Michel. Personne ! Pas une ombre, pas un bruit, pourtant, tu as entendu comme moi, hein ? »

Comme pour le narguer en lui confirmant qu'il avait bien entendu, le même appel reprit, pour la quatrième fois, mais sur la gauche, et faiblement, très éloigné.

« C'est invraisemblable ! Si tu n'étais pas là, je croirais que je rêve ! Celui qui se moque de nous est drôlement fort ! Il faut que nous sachions qui c'est ! »

Ils partirent ensemble, en courant dans la direction

Une foule considérable couvrait déjà la place. →

supposée de l'appel. Mais les arbres et les bosquets gênaient leur progression et les obligeaient à dévier de leur direction.

Ils aboutirent une fois de plus à la limite de la propriété. Ils eurent beau scruter la nuit, ils ne découvrirent que la plaine, déserte sous le clair de lune. Dépités, ils revenaient sur leurs pas lorsque le bruit étouffé d'une galopade leur parvint.

Ils aperçurent cette fois deux ombres, courbées en avant, qui couraient à vive allure en s'éloignant de la villa.

Au moment où les deux ombres franchissaient la barrière, une troisième — qui faisait le guet, sans doute —, se détacha du couvert des bosquets pour disparaître à son tour à une allure tout aussi précipitée. Pas assez vite, pourtant, pour qu'un reflet de lune sur ses cheveux ne fasse pousser à Michel une exclamation étonnée :

« Le grand rouquin... là-bas ! »

Le temps que Daniel regarde dans la direction désignée par son cousin, le géant avait disparu. Mais

Michel avait reconnu la silhouette puissante et les cheveux rutilants de l'inconnu du train...

« Décidément, il est partout, celui-là ! Il ne manque plus que l'homme à la pipe, ce serait complet ! »

Daniel s'élançait déjà dans la direction de la barrière. Michel le suivit. Ils franchirent la clôture d'un bond et s'arrêtèrent pile, médusés !

Malgré le clair de lune intense, il leur fut impossible de découvrir la moindre trace de ceux qui venaient de les mystifier de si belle façon.

« La plaisanterie continue ! grommela Daniel un peu essoufflé par la course qu'il venait de fournir et aussi par l'irritation. Où les chercher, maintenant ?

— Dans notre lit, je crois que c'est le plus sage. Ils ne reviendront plus cette nuit... Mais c'est vrai, au fait !... s'interrompit-il. Qu'est-ce qu'ils sont bien venus faire au sous-sol !

— Ils ne sont peut-être pas allés seulement au sous-sol, mon vieux, tu n'en sais rien ! »

Daniel réfléchit.

« Je ne pense pas qu'ils aient eu le temps d'aller ailleurs.

— En tout cas, pas la peine de rester ici, filons !

— Je m'en souviendrai de ma première nuit à Dunes-sur-Mer ! grogna Daniel. Si les Marindunois s'amusent à se déguiser en fantômes pour intriguer les étrangers, on peut dire qu'ils s'y entendent !

— Le plus drôle, ajouta Michel, c'est qu'ils connaissent nos prénoms ! En dehors de Martine, de ses parents...

— Et des Ronchot... mon vieux, tu oublies les Ronchot.

— Justin, peut-être... mais pas les autres membres de la famille... »

Ils arrivèrent en vue du sous-sol.

« Tiens, regarde ! » s'exclama Daniel.

Il désignait la porte... celle qu'ils avaient soigneusement refermée derrière eux, en sortant quelques instants plus tôt... Elle était grande ouverte ! Et le rectangle sombre qu'elle découpait dans le mur blanc de la villa n'avait rien de rassurant !

« Je l'avais pourtant bien fermée ! déclara Michel.

— Donc, une seule explication : nous nous sommes laissé supérieurement manœuvrer !

— Et je maintiens qu'ils étaient trois ! Comme je suis sûr qu'il fallait qu'ils connaissent les lieux. »

Michel se tut. Il semblait certain de la justesse de son raisonnement sans parvenir pourtant à comprendre la raison de cette visite ou de cette fouille.

« Le plus simple, finit-il par dire, c'est d'aller voir. Pourtant, ils ne devaient pas être lourdement chargés les trois zèbres ! A l'allure où ils filaient ! »

Ils s'approchèrent avec précaution de l'ouverture.

« Quand je pense que j'ai une lampe électrique dans mon sac ! grommela Daniel. Et cette ampoule qui est grillée ! C'est gai, je t'assure !

— Cesse de grogner ! Tu vas pouvoir la sortir, ta lampe. J'ai l'impression que nous allons en avoir besoin ! »

Michel entra le premier, le poing crispé sur sa massue improvisée. Daniel, malgré lui, ne put s'empêcher de frissonner, en jetant un regard derrière lui. Mais en vain : le jardin avait repris son aspect tranquille et lorsqu'ils se retrouvèrent dans leur chambre, porte refermée, ce fut comme si rien ne s'était passé.

« Alors, tu la cherches, cette lampe ? » demanda Michel.

Daniel trouva son sac, ouvrit le rabat d'une poche et

sortit sa torche. Le faisceau balaya la chambre. Elle était vide. Par acquit de conscience, Daniel regarda sous les deux lits de camp, dans le placard et derrière le rideau de la penderie.

« Personne, dit-il. C'est drôle quand même. On dirait qu'on n'a touché à rien. »

Ils eurent beau inspecter leurs affaires, force leur fut de se rendre compte, en effet, que tout était intact.

« Bon, dans ce cas, le plus sage est de dormir, maintenant. Demain nous verrons bien ! Je ne pense pas que nous risquions une autre visite cette nuit !

— Risque ou pas, moi je dors ! » affirma Daniel qui étouffa un bâillement.

Un instant plus tard, ils se glissaient dans leurs lits. Malgré leur sang-froid apparent, le caractère insolite de l'incident qu'ils venaient de vivre les tint éveillés longtemps encore. Ils avaient promis de ne plus chercher à se mêler à une aventure... et l'aventure venait les relancer... à domicile !

VI

« Je ne pense pas que nous risquions une autre visite cette nuit ! » avait déclaré Michel.

Lorsqu'il s'éveilla le lendemain matin, il faisait déjà très clair. Des pas furtifs s'entendaient dans la villa, au-dessus de leur chambre. Michel s'efforça de rassembler ses pensées et de se souvenir de ce qui s'était produit. Un à un, les détails de l'incident de la nuit émergèrent de la brume de sommeil qui engourdissait son esprit. Il se dressa sur son lit et passa ses doigts écartés dans ses cheveux. Et brusquement, il sursauta.

Un appel venait de retentir.

« Michel !... Daniel !... »

Il lui fallut quelques secondes pour reconnaître la voix

de Martine et pour comprendre que le cri venait de la maison, cette fois.

Il secoua Daniel qui grogna.

« Hein ? Quoi ? Ferme la porte, je te dis... »

Michel éclata de rire. Daniel devait être en train de rêver de leur aventure de la nuit. Lorsque Martine reprit :

« Mi-chel !... Da-niel !... »

Ce fut au tour de celui-ci de tressaillir.

« Ça recommence ! Ah ! non ! Je ne joue plus ! »

Ils éclatèrent de rire tous deux en même temps, convaincus qu'ils tenaient la clef de l'énigme de la nuit. Martine devait être à l'origine de la farce et elle était en train de leur en donner la preuve.

« Ouf ! J'aime mieux ça ! Je me disais aussi !...

— Le déjeuner est prêt, paresseux ! Nous ne pourrons pas nous baigner ce matin si vous restez encore au lit ! » continua Martine, invisible, de la porte du sous-sol.

Ils se levèrent ensemble et se précipitèrent vers le lavabo, pour s'asperger la tête et le torse. Daniel y parvint le premier et Michel dut se contenter de défaire son lit. Il venait de replier ses couvertures et il allait secouer ses draps dans le jardin lorsqu'une exclamation de surprise lui échappa.

Un papier plié gisait sur le sol cimenté, sous la fenêtre, entre les deux lits de camp. Michel le ramassa et le lut :

Rendez la rose au stand, avant midi. Sinon gare à vous !

« Dis, Daniel, viens voir !

— Minute, j'ai du savon dans l'œil ! C'est un truc pour avoir le lavabo pour toi, hein, avoue-le !

— Cesse de grogner et ouvre les yeux. Tu verras quelque chose d'intéressant ! »

Daniel s'ébroua, finit par trouver une serviette et essuya la mousse de savon qui l'obligeait à fermer les yeux. Il s'approcha et lut à son tour le billet.

« La rose ? quelle rose ? Et pourquoi avant midi ? »

Michel haussa les épaules.

« Ce doit être un bonhomme qui mange les roses artificielles pour son déjeuner, avec beaucoup de sucre ! »

Daniel, ébahi par le ton sec de son cousin, hocha la tête pour dissiper les dernières brumes du sommeil.

« Enfin, tu y comprends quelque chose, toi ? Explique-toi !

— Je commence à croire que Martine n'est pour rien dans l'histoire de cette nuit, ou alors qu'elle continue ! Ça me semble un peu trop bien monté comme blague. A moins que... »

Il regarda rapidement sur la tablette où, la veille, en rentrant, ils avaient posé les fleurs gagnées au concours de tir.

« Nom d'un chien ! Les fleurs...

— Quoi, les fleurs ? » s'impatienta Daniel.

Mais son regard suivit la direction de celui de Michel et il acheva dans un souffle :

« ... disparues ! »

Ils se regardèrent avant de pousser ensemble un « Ça, alors ! » qui les dérida.

« Et si nous déjeunions... quand même ! proposa Michel.

— Bonne idée ! On pourrait d'ailleurs expliquer toute l'histoire à M. Deville. Après tout, nous sommes chez lui et la visite de cette nuit doit l'intéresser !

— Tu ne crois pas qu'il vaudrait mieux le prendre à part, pour ne pas alarmer Mme Deville. Dans une villa isolée, une histoire comme celle-là, ce n'est vraiment pas rassurant.

— Tu as raison, admit Daniel. Et maintenant, j'ai faim.

— Minute, je ne suis pas débarbouillé, moi, avec cette histoire ! »

Michel se hâta de réparer cet oubli. Les deux garçons furent accueillis par Martine qui les accabla de reproches pour leur retard.

« Jamais nous ne pourrons aller à la plage ! Avec la digestion, il sera midi quand nous pourrons nous baigner !

— Bah, nous irons cet après-midi ! la consola Michel.

— Et le cirque ? Vous l'aviez déjà oublié, tous les deux ? Moi j'y tiens ! »

Ils prirent place à la table de la cuisine. Mme Deville exprima sa satisfaction de les voir si bien se reposer chez elle et elle suggéra que ce devait être l'effet de l'air de la mer. Les deux cousins eurent beaucoup de peine à conserver leur sérieux. Si la pauvre Mme Deville avait pu se douter que leur grasse matinée était due au contraire à une insomnie provoquée par des amateurs de fleurs artificielles, son bon sourire confiant aurait fait place à une grimace de crainte. Ils se félicitèrent de leur discrétion. Plusieurs fois, le regard intelligent de Martine se posa sur eux. La jeune fille, très perspicace, trouvait à ses amis une expression bizarre. Elle savait qu'ils ne pouvaient songer à se moquer de sa mère et, pourtant, ils en donnaient l'impression. Elle parla à sa mère des résultats du concours de la veille, ce qui amena Mme Deville à parler de l'adresse au tir de son mari.

« Il n'est pas là, ce matin, M. Deville ? s'enquit Daniel.

— Non, Martial est venu conduire la voiture réparée, ce matin de bonne heure, et mon mari est parti aussitôt. Comme de toute façon il fallait qu'il reconduise le garagiste et que d'autre part il craint une nouvelle panne, il a préféré avancer son départ. Il sera à Amiens de bonne heure, pour reprendre son travail demain matin. »

Mme Deville ajouta que son mari reviendrait à la fin de la semaine.

« Je suis heureuse que vous soyez là ! J'ai beau commencer à m'habituer à Finiterre, je ne suis jamais tout à fait rassurée, lorsque mon mari est absent ! Surtout la nuit ! »

Cette fois Martine surprit un regard échangé entre les cousins. Mais ce regard ne signifiait qu'une déconvenue très perceptible. L'absence imprévue de M. Deville les désorientait. Elle fut un peu mortifiée du peu d'intérêt que les garçons semblaient accorder à la conversation. Elle le fut davantage encore, lorsque les garçons, dès la dernière bouchée avalée, se précipitèrent au sous-sol sous prétexte de refaire leur lit.

« Tu parles d'une tuile ! gémit Daniel. Pas moyen d'avertir M. Deville. Comment allons-nous faire, maintenant ?

— Là est la question, comme dirait Shakespeare... »

Ils eurent beau réfléchir, discuter, lorsqu'ils rejoignirent Martine, un peu plus tard, ils n'avaient rien résolu du tout.

« Alors, les paresseux ! Je suppose que vous ne tenez pas à venir avec moi jusqu'à la ferme ? Si vous voulez, vous pouvez aller directement à la plage, je vous y rejoindrai tout à l'heure ! »

Michel se demanda pourquoi l'enjouement de Martine semblait un peu forcé. Leur tenait-elle vraiment rigueur de leur lever tardif ? C'était assez inattendu ! Il devait y avoir une autre raison. Il regarda Daniel et comprit que celui-ci avait découvert lui aussi quelque chose d'insolite dans le ton et le sourire de la jeune fille.

« Mais si, nous allons avec toi ! Pourquoi pas ? Le

chemin te semblera moins long ! protesta-t-il. N'est-ce pas, Daniel ?

— Et comment ! renchérit celui-ci. Nous dirons bonjour à ce brave Justin ! »

Le ton des deux garçons parut suffisamment sincère pour que la jeune fille se détendît un peu.

« Je vais chercher le pot à lait et je vous rejoins... »

Lorsqu'elle fut entrée dans la villa, Michel demanda :

« Tu ne trouves pas que Martine fait une drôle de tête ?

— Justement, j'y pensais. Je crois qu'elle a deviné quelque chose... ou du moins qu'elle ne nous trouve peut-être pas naturels. Il vaudrait mieux la mettre au courant. Puisque son père n'est pas là et que nous ne voulons pas alarmer sa mère... elle nous aidera !

— Tu as raison... on lui racontera tout en route ! »

Lorsque les deux garçons lui eurent narré les événements de la nuit et la disparition des fleurs, que Michel lui eut montré l'étrange billet, la première réaction de la jeune fille fut assez curieuse. Elle manifesta un soulagement évident qu'elle expliqua aussitôt avec un sourire :

« Oh ! j'aime mieux ça, à tout prendre ! Je me demandais ce que signifiaient vos mines entendues. Je croyais que vous trouviez que le séjour à Dunes manquait de charme !

— C'est un mot d'actualité, je crois bien ! intervint Daniel. D'ici peu, si ce billet n'est pas une blague, je crois bien qu'il y aura de l'imprévu au programme.

— Quand je pense, intervint Michel à son tour, que papa va encore s'imaginer que nous avons cherché cette histoire ! Et pourtant !

— Mais dites-moi, vous êtes certains d'avoir entendu vos prénoms ? Par une voix d'homme ?

— Aussi sûr que nous sommes là ! affirma Daniel. Et

le lascar qui les criait devait avoir de fameuses jambes, parce qu'il donnait l'impression d'être partout à la fois.

— En somme, réfléchit Martine à haute voix, on peut supposer que, pendant que l'un vous éloignait de la maison en vous appelant, les autres ont pénétré dans votre chambre pour y prendre les fleurs ?

— Non, rectifia Michel, ils ont pris les fleurs pour faire plus vite, mais c'est la rose qu'ils voulaient, celle que tu as emportée hier soir. Si tu ne me l'avais pas prise, il ne se serait rien produit de plus que la petite comédie de cette nuit ! Les visiteurs auraient repris la rose et... »

Martine l'interrompit aussitôt.

« Mais... cette rose... il faut bien admettre qu'elle doit avoir une importance particulière, pour que deux hommes se soient donné la peine de vous jouer cette comédie, comme tu dis, cette nuit ?

— Pas deux hommes. Trois ! Ils étaient trois ! Le troisième, lorsqu'ils se sont enfuis, était le géant roux...

— Là, je ne comprends plus ! déclara Martine après un temps de réflexion. Puisqu'il la tenait à la main, hier soir, au tir, s'il avait voulu, il pouvait disparaître de la même façon, mais en emportant la fleur. Il se serait épargné, à lui et à ses complices, cette comédie !

— C'est peut-être l'apparition de l'homme à la pipe... »

Ils arrivèrent à la ferme des Ronchot sans s'être rendu compte du chemin parcouru, tant leur discussion les avait distraits.

Justin était dans la cour, occupé à réparer sa bicyclette. C'était un modèle qui devait dater du début du siècle et qui se réduisait à sa plus simple expression : ni garde-boue, ni phare, ni frein. Seul un grelot, attaché au guidon par un petit collier de cuir, constituait une concession aux règlements sur la circulation.

En voyant arriver le trio, Justin se redressa vivement et, son bon visage illuminé par une joie sincère, il accourut au-devant d'eux ! Il tenait, dans le creux de la main, un disque de métal qu'il venait de sortir de sa poche.

« Regardez, dit-il, ce qu'Alex m'a donné ! »

Martine, puis les deux garçons examinèrent l'objet. C'était un insigne, formé de deux canons croisés, sur un cercle nickelé. Le nom d'un régiment y figurait : *Royal Engineers.*

« Qu'est-ce que c'est ? demanda Martine. *Royal Engineers* ? Un régiment anglais ?

— C'est le "génie" ! expliqua Daniel. Ceux qui construisent les ponts ou bien... les font sauter ! »

Justin les regarda en souriant. Une lueur admirative dansait dans ses yeux.

« C'est ce qu'Alex m'a expliqué ! avoua-t-il. C'est l'insigne d'un soldat anglais qui était cantonné ici,

pendant la guerre. Alex n'avait que dix-sept ans mais il s'en souvient bien ! Et vous ne savez pas, le plus drôle, c'est qu'il est revenu ici avant-hier ! Robert Stone, il s'appelle ! Il travaille au cirque, sur la place ! Alex est parti se promener avec lui ! Un gars costaud, il est acrobate ! »

Martine sourit. Justin, dans son enthousiasme, était intarissable. Il annonçait tout à trac tout ce qu'il avait à dire.

« C'est lui que j'ai vu ici, avant-hier soir, en prenant le lait ? demanda-t-elle. Il était sur la plage, hier matin, un homme très brun.

— C'est ça, c'est lui. Il est bien gentil ! Il parle bien le français, enfin bien, pour un Anglais, je veux dire ! Et puis... »

Mais Justin s'interrompit soudain, comme s'il se rendait compte, brusquement, qu'il allait avoir la langue trop longue.

L'apparition de Mme Ronchot, sur le seuil de la cuisine, mit fin à la conversation.

« Tiens, mademoiselle Martine ! Vous arrivez juste ! J'allais partir *à messe*[1] ! C'est du lait que vous voulez ? »

Martine entra dans la cuisine et se fit servir.

Daniel et Michel restèrent dans la cour avec Justin.

« Tu allais dire quelque chose, Justin... tout à l'heure... déclara Michel pour taquiner le jeune garçon.

— Moi... rien... »

Mais en même temps Justin rougit.

« Hum... il est vrai, ton mensonge ? » demanda Daniel.

Cette plaisanterie dérida le jeune garçonnet. Il hocha la tête, pour continuer à nier, mais sans conviction. A la fin, n'y tenant plus, il demanda, d'un air excessivement sérieux :

1. Expression du Nord de la France : « aller à la messe ».

« Si je vous le dis... vous ne direz rien à personne ?

— Si tu nous dis, quoi ? demanda Daniel.

— Promis... intervint Michel. Nous, on sait garder un secret, n'est-ce pas, Daniel !

— Certain ! » confirma celui-ci.

Justin hésita encore une minute, se gratta la tête et finit par se décider.

« Bon, j'ai confiance... venez avec moi ! Faites vite, avant que maman ne sorte ! »

Justin les entraîna à travers les dépendances de la ferme. Ils traversèrent une écurie vide, puis un hangar plein de foin pour déboucher dans une arrière-cour, séparée du potager par un treillage en ruine.

Le jeune garçon s'arrêta pile devant un fût métallique rouillé, qui servait de réservoir à eau de pluie, autant qu'il était possible d'en juger à première vue. Il se glissa contre le mur et désigna la partie du fût qui s'y appuyait.

« Regardez ! » dit-il simplement.

Les trois garçons regardèrent. Dans la tôle épaisse du fût, un trou sensiblement rectangulaire était percé, au ras du niveau de l'eau. Michel et Daniel, ne comprenant pas en quoi ce trou justifiait le mystère dont Justin avait entouré sa confidence, ne voulurent pourtant pas le décevoir. Ils s'approchèrent très sérieusement et examinèrent longuement l'orifice. Les bords en étaient boursouflés, comme les grains d'une soudure autogène, et, autour de l'ouverture, le métal était bleu.

Surpris par cet aspect étrange, Michel se pencha davantage et écarta l'herbe qui entourait la base du fût.

« Pas la peine, leur dit Justin. J'ai eu l'idée de regarder, moi aussi, et j'ai trouvé ça. »

Il sortit de sa poche une masse noirâtre, boursouflée, elle aussi, qui ressemblait à du sucre carbonisé.

Michel et Daniel examinèrent tour à tour le morceau.

« On dirait de la bakélite brûlée ! » estima celui-ci.

Michel ne dit rien. Il réfléchissait. Il parut à deux reprises sur le point de dire quelque chose, mais il n'en fit rien.

« Pourquoi nous as-tu amenés ici, Justin ? » finit-il par demander.

Justin hésita à peine. Avec une sincérité évidente, il s'expliqua :

« J'ai pensé que vous, vous allez encore à l'école, vous savez plus de choses que moi et que vous pourriez me dire ce que c'est, la chose qui a fait fondre le fût... voilà ! »

Michel et Daniel se regardèrent, un peu émus par la sincérité simple du garçon.

« Malheureusement, mon vieux Justin ! déclara Michel, jamais je n'ai vu une chose comme ça... tout ce que je peux te dire, c'est que ça ressemble à un découpage au chalumeau.

— Ça, je le savais ! déclara Justin. Seulement, j'ai vu déjà ça chez le maréchal-ferrant, l'aurait fallu amener un appareil bien trop gros...

— C'est ce que je pensais... dommage, tu vois, mais ni Daniel ni moi, nous ne sommes capables de te dire ce que c'est ! »

Justin hocha la tête en souriant.

« Tant pis ! Et maintenant filons ! Faut pas que la mère voie que je vous ai amenés par ici ! Le père serait furieux de voir son fût arrangé comme ça ! »

Michel fut sur le point de demander pourquoi *justement* Justin ne tenait pas à ce que son père sût ce qui était arrivé au fût à eau de pluie, mais il s'abstint. Cette histoire ne le regardait pas après tout, et d'ailleurs Justin était déjà en tête de leur groupe pour les reconduire dans la cour.

« Eh bien Justin, qu'est-ce que tu faisais ? s'inquiéta Martine. Ta mère est partie à la messe. Elle m'a dit de te rappeler que tu devais surveiller la marmite qui est sur le feu..., il ne faut pas qu'elle bouille trop fort !

— Compris ! Vous allez à la plage, cet après-midi ?

— Euh... non, c'est vrai ! nous allons au cirque ! Tu viens avec nous ?

— Non... J'irai peut-être ce soir... Alex m'a dit que son copain Robert nous ferait entrer... *peut-être* !

— Alors, nous te verrons demain... »

Le trio prit congé de Justin qui vint jusqu'à la porte.

« A demain ! dit-il. Amusez-vous bien... cet après-midi ! »

La porte se referma sur les trois amis. Ils reprirent le chemin de Finiterre. Les deux garçons mirent Martine au courant de la découverte de Justin.

« Il est gentil ce garçon-là ! estima Michel.

— Il a l'air un peu ennuyé par cette histoire, tu n'as

pas eu cette impression, Michel ? demanda Daniel. On dirait qu'il est inquiet.

— Inquiet, peut-être pas, mais avoue que ce n'est tout de même pas ordinaire, ce qui est arrivé à ce fût !

— Et c'est tout récent, le métal est encore bleu alors que ça rouille vite, une soudure autogène, d'habitude ! »

Ils marchèrent silencieusement pendant un bon moment. Chacun d'eux réfléchissait à l'incident.

« En somme, si je comprends bien, Martine... il s'en passe des choses dans ton petit coin perdu comme tu disais dans ta lettre !

— En tout cas, je me demande si nous avons raison d'aller nous baigner, ce matin, en laissant maman seule à la maison, après le billet que vous avez reçu ! »

Les deux garçons s'arrêtèrent pile.

« Quand même ! s'exclama Michel. Jusqu'à midi, je ne pense pas qu'il y ait un danger quelconque ! Comme cet après-midi nous allons au cirque et que nous ne pourrons pas faire trempette, je propose que nous allions à la plage jusqu'à onze heures et demie, environ, de façon à être à la maison avant midi !

— C'est vrai, convint Martine, d'autant plus que c'est au stand qu'ils attendent la rose, ce qui laisse de la marge. Vous avez raison, dépêchons-nous ! »

VII

Ils se hâtèrent vers Finiterre. Martine dut quitter les garçons pour aller porter le lait à la cuisine et passer son maillot.

« Je pars en tête ! déclara Michel à son cousin. Attends Martine, toi, tu veux ?

— D'accord, j'ai compris ! » déclara Daniel.

Michel s'éloigna en direction de la plage. A l'endroit où, la veille, il avait dissimulé la boîte noire, il s'arrêta et s'accroupit. La touffe d'herbe, desséchée, n'était plus enfoncée dans le sable. Avant même d'avoir commencé, Michel devina que ses recherches seraient vaines. La boîte avait disparu.

Un instant, il crut avoir deviné qui s'en était emparé.

« Martine aura eu peur... pensa-t-il. Elle a dû la dissimuler ailleurs. »

Lorsqu'il se releva, il aperçut la silhouette de l'homme à la pipe, surgi des dunes comme un diable de sa boîte et qui le regardait avec un sourire goguenard, semblait-il. Du moins Michel eut-il l'impression que le regard de l'homme exprimait une légère moquerie.

« Vous avez perdu quelque chose, jeune homme ? s'enquit-il l'air soudain compatissant.

— Rien d'important, monsieur, merci ! » repartit Michel en s'éloignant.

L'arrivée de Martine et de Daniel coupa court à l'incident. Michel comprit que sa supposition était fausse. Martine n'était visiblement pour rien dans la disparition de sa trouvaille. S'il en avait été autrement, compte tenu du fait qu'elle avait, sans doute, facilement deviné la raison de son départ en éclaireur, elle n'aurait pu s'empêcher de lui lancer un regard moqueur.

« La boîte a disparu ! annonça-t-il en guettant sa réaction.

— C'est donc bien ça que tu venais chercher ? Ce cachottier de Daniel n'a rien voulu me dire ! Dis, Michel, tu trouves que nous n'avons pas assez d'ennuis comme ça ? »

Michel haussa les épaules et courut vers la mer. Les deux autres le suivirent et emportés par l'ardeur du sport, ils oublièrent le reste.

Ce ne fut qu'en quittant la plage, que Daniel proposa :

« Puisque nous ne reportons pas la rose à l'heure dite, je pense que nous pouvons nous attendre à une visite, ou du moins à une manifestation de l'intérêt des gens à la rose bleue...

— Oui, et alors ? demanda Michel.

— Alors... nous devrions surveiller au moins la

route... avant le déjeuner... et fouiller le jardin au cas où ces messieurs seraient en avance !

— D'autant plus que, du grenier, on la voit très bien, la route, presque jusqu'à Dunes ! ajouta la jeune fille. Rien ne nous empêche de faire le tour du jardin et si nous ne voyons rien, eh bien, nous pourrons toujours nous poster dans le grenier !

— Non », intervint Michel, qui, comme toujours, prenait naturellement la direction des opérations. « Je crois qu'il vaudrait mieux que Daniel et moi nous explorions le jardin et que toi tu montes tout de suite dans le grenier. Tu pourrais nous faire un signal, si tu aperçois des promeneurs suspects !

— D'accord, mais quel genre de signal ? »

Les deux garçons réfléchirent.

« Un coup de sifflet peut-être ? suggéra Daniel.

— Trop bruyant, mon vieux, si les autres l'entendent ils seront sur leurs gardes !

— Attendez, je sais ! s'exclama Martine, qui rougit un peu. J'ai un pipeau, dans ma chambre, je pourrais jouer un air, une mélodie quelconque, personne ne pourra soupçonner que c'est un signal. »

Contrairement à ce qu'elle avait craint — d'où sa légère rougeur — ni l'un ni l'autre des garçons ne songèrent à se moquer d'elle.

« Bon, d'accord ! Mais une mélodie bien douce, inoffensive, alors, du genre berceuse ! Rien de tel pour endormir la méfiance de nos adversaires ! déclara Michel, sans rire.

— Oh ! là ! là ! protesta Daniel. Quel esprit ! Méfie-toi, mon vieux, c'est dangereux, en plein soleil ! »

L'arrivée à la limite de la villa les incita à plus de prudence.

« Alors, pas un mot à Mme Deville ! déclara Michel en conclusion.

— Au fait, j'y pense ! Il faudrait peut-être mettre la rose en sûreté ! On ne sait jamais ! déclara Martine.

— Tu as une cachette sûre ?

— Hum... et si je la glissais derrière un meuble, dans ma chambre ?

— Bonne idée. De toute façon, je doute que ceux qui la cherchent osent se montrer maintenant. On verra après... »

Ils se séparèrent. Daniel et Michel allèrent se débarrasser de leurs maillots de bain dans leur chambre et Martine monta dans la sienne d'abord, puis au grenier. Mme Deville était trop absorbée par les préparatifs du déjeuner pour prêter attention à leurs agissements.

Les deux cousins ressortirent aussitôt pour explorer le jardin. Ils en eurent vite fait le tour sans rien découvrir de suspect. Ils cherchèrent en vain des traces, mais le sol herbu ne se prêtait pas à ce genre de découverte. Et, dans les taillis, la couche de feuilles mortes n'avait gardé aucune empreinte. Ils examinèrent aussi les branches, sans découvrir une seule brindille brisée.

« Les gaillards qui sont venus cette nuit doivent connaître les lieux. On ne vient pas comme ça en pleine nuit dans un jardin inconnu et on ne s'y déplace pas aussi vite qu'ils l'ont fait sans y avoir au moins pénétré une fois !

— En tout cas, ici, opina Daniel, la construction est neuve, il n'y a certainement pas de souterrain !

— Bien sûr, mais le fait qu'elle soit isolée et inoccupée en hiver laisse le champ libre à n'importe qui ! »

Daniel resta ébahi.

« Tu n'imagines tout de même pas que le stand de tir, qui n'est que depuis quelques jours à Dunes, et qui a dû s'installer un peu partout en France, avant, aurait quelque chose à voir avec cette histoire de rose, si c'était une histoire préparée depuis longtemps ?

— Et pourquoi pas ? Le stand de tir, comme tu dis, ou plutôt son propriétaire, n'est peut-être même pas au courant de ce qui se trame dans sa boutique.

— Ça alors, pas d'accord, mon vieux ! On ne nous dirait pas d'aller reporter la rose au stand si... »

Mais le raisonnement pertinent de Daniel fut interrompu par le son très doux du pipeau. Martine jouait dans son grenier l'air du *P'tit Quinquin* qui est, comme chacun sait, une sorte d'hymne régional dans la province des Flandres.

« Quelqu'un ! » souffla Michel, comme si déjà l'arrivant était à portée de voix.

« On va l'attendre à la porte ? Il vaudrait peut-être mieux nous dissimuler dans les bosquets, près de l'entrée, et voir ce qu'il va faire ?

— Bien sûr, tiens ! Dommage qu'on n'ait pas apporté un appareil photo ! Ça pourrait servir, un cliché, on ne sait jamais ! »

Le *P'tit Quinquin* avait cessé de se faire entendre.

Martine avait estimé sans doute qu'il suffisait que ses amis soient en alerte et elle vint les rejoindre. Michel lui parla de la photographie.

« Il y a bien l'appareil de mon père, dit-elle, mais le temps que j'aille le chercher... d'ailleurs, ce n'est pas sûr que celui que j'ai aperçu vienne ici...

— Pourquoi, "il" est seul ? demanda Daniel.

— Il est encore loin. On dirait un homme de petite taille, à moins que ce ne soit un garçon.

— Hum ! Si c'est un garçon, ce n'est peut-être pas pour la rose qu'il vient. Mais, dites donc, il me vient une idée ! Et si toute cette histoire était une farce montée par des garçons du village ?

— Je ne crois pas, reprit posément Martine. Une farce qui va jusqu'à entrer dans une villa en pleine nuit, je trouve que c'est une farce bien osée, non ?

— Tu dois avoir raison. Mais nous ferions mieux d'aller attendre le visiteur, si visiteur il y a ! affirma Michel. Chacun d'un côté de la porte. Toi, Martine, veille à ce que ta maman ne s'aperçoive de rien. »

Martine s'éloigna en direction de la villa et les deux garçons allèrent se poster où ils l'avaient dit. Leur attente se prolongea. Il semblait bien que le promeneur ne fût pas pressé. A moins qu'il n'hésitât !

Il s'écoula plus d'un quart d'heure avant que les deux garçons, qui commençaient à s'impatienter, n'aperçoivent enfin la silhouette du promeneur signalé par Martine. Sans hésiter, le jeune garçon, un garçon étrange, très pauvrement vêtu et affligé d'une tête trop grosse pour son corps, d'un nez proéminent, s'approcha de la grille. Il ne parut pas autrement craintif et glissa quelque chose dans la boîte aux lettres.

« Ça alors, c'est un peu fort ! Ou bien il est totalement inconscient ou bien il a un certain toupet ! Il n'a même pas l'air de s'occuper de nous ! Il n'agirait pas autrement si la villa était inoccupée ! » pensa Michel.

Daniel, lui, se montra plus résolu. Michel le vit jaillir d'un bond hors de sa cachette et se précipiter vers la grille qu'il ouvrit d'un geste brusque. L'étrange garçon fit un saut de côté en élevant un bras pour se protéger, comme s'il craignait des coups.

« Michel ! appela Daniel, arrive ! »

Mais Michel était déjà là. Daniel tenait l'étrange messager par le bras et le questionnait sans ménagement :

« Qu'est-ce que tu es venu faire ici, hein ? » demanda Daniel en roulant des yeux furieux.

Michel le laissa faire et sortit de la boîte un billet semblable en tous points, pour le papier et l'écriture, à celui qu'ils avaient trouvé, le matin, dans leur chambre. Mais cette fois, il ne portait que cette simple phrase : *Il est midi !*

« Qui t'a envoyé ? poursuivit Daniel. Allons, parle ! Tu es déjà venu cette nuit, hein, avoue ! »

Emporté par son ardeur, Daniel s'était mis à secouer d'importance le pauvre garçon, tremblant de tous ses membres. Il ne parvint qu'à grogner des sons parfaitement inintelligibles.

« Doucement, mon vieux ! intervint Michel. Tu l'affoles ! Ce n'est pas comme ça que tu lui tireras la vérité ! »

Un peu penaud de s'être emporté, Daniel desserra son étreinte.

« Ce doit être quelqu'un du village ! fit remarquer Michel. Tu habites Dunes, n'est-ce pas ? Comment t'appelles-tu ? » demanda-t-il au jeune garçon.

Il était difficile de deviner l'âge de leur prisonnier.

Par la taille, il pouvait aussi bien n'avoir que douze ans, mais l'importance de sa tête, l'épaisseur de sa tignasse brune mal soignée le vieillissaient. En réponse aux questions de Michel, il poussa encore quelques grognements, en roulant des yeux effarés.

« Pas de doute, c'est un muet ! Celui qui l'a envoyé savait ce qu'il faisait ! Pas moyen de lui tirer un mot ! constata Michel. Dis, Daniel, appelle Martine, veux-tu. Il se peut qu'elle le connaisse, ce garçon-là ! »

Daniel s'éloigna en courant. Quelques instants plus tard, il revenait avec la jeune fille. Celle-ci n'hésita pas.

« Mais je le connais ! C'est Colas, il est muet ! C'est lui qui fait toutes les courses des gens du village ! Il n'y a qu'à le laisser repartir. De toute façon, maman nous appelle, le déjeuner est prêt ! Vous n'en tirerez rien ! Il a peut-être déjà oublié celui qui l'a chargé de venir ici !

— En tout cas, il ne sera pas venu pour rien ! s'exclama Michel. Je propose que nous lui remettions la rose bleue pour qu'il la rapporte à ceux qui l'ont envoyé ! Comme ça, nous respecterons notre promesse de ne plus nous mêler à aucune aventure ! Puisqu'ils y tiennent, à leur rose, ils l'auront et nous serons tranquilles ! »

Martine partit chercher la rose. Lorsqu'elle revint elle tendit la fleur bleue au jeune muet, tout éberlué.

« Tiens, lui dit-elle, tu donneras cette fleur à ceux qui t'ont envoyé, tu as bien compris ? »

Le muet roula de gros yeux, grogna quelques sons indistincts et finit par hocher la tête avec une énergie amusante.

« Tout de suite, hein ! Ne fais pas attendre ces messieurs ! » précisa Daniel.

Colas s'éloigna, du même pas nonchalant qu'à son arrivée. Il s'arrêta plusieurs fois pour regarder le groupe, resté à la porte du jardin. On eût dit qu'il s'éloignait à regret !

« Ma parole, il espérait peut-être une récompense pour sa commission ! grommela Daniel.

— Tu ne crois pas si bien dire, pouffa Martine. C'est l'habitude ici. Il vit pratiquement des tartines ou des gâteaux que les gens lui donnent, pour prix de ses services !

— Il n'a qu'à manger la rose, comme disait Michel ce matin, avec beaucoup de sucre ! » conclut Daniel.

Michel s'était absorbé dans ses réflexions, sans prendre part à la conversation. Il finit par déclarer :

« Il y a une chose que je ne comprends pas ! C'est comment ceux qui veulent la rose bleue ont pu savoir que nous ne l'avions pas rapportée au stand pour midi. Le temps que ce lambin fasse la route, il a dû partir au moins à onze heures de Dunes, et je suis modeste ! A cette heure-là, les "autres" ne pouvaient absolument pas savoir que nous ne la rapporterions pas, la rose !

— Il faut croire que si ! » protesta Daniel.

Michel se gratta la tête.

« Dans ce cas, je ne vois qu'une solution ! Ces messieurs ont surveillé la route de Finiterre à Dunes et, ne nous voyant pas passer, ils en ont conclu que nous conservions la fleur !

— Lumineux ! s'exclama Daniel, sincère. Dans ce cas-là, on peut aussi bien supposer que, si les autres surveillaient la route à proximité d'ici, ce n'est pas de Dunes que Colas est parti, mais de plus près !

— Qu'est-ce que tu veux dire ? demanda Martine, je ne vois pas...

— Je crois que je commence à comprendre ! affirma Michel. Continue, Daniel...

— Je pense que, si nous suivions discrètement Colas, nous pourrions fort bien découvrir qui l'a envoyé... celui à qui il remettra la rose, ce doit être le même !

— Supérieur ! s'écria Michel. Puissamment pensé !

— Quand vous aurez fini tous les deux de vous tresser des couronnes ! s'exclama Martine en riant. Il y a une chose à laquelle vous n'avez pas pensé !

— Laquelle ? demanda Daniel.

— C'est que suivre Colas, c'est possible ; mais sur une route comme celle-ci, en plein midi, la discrétion me semble difficile. J'ai une meilleure idée ! »

Elle s'amusa à faire languir les deux garçons qui la menacèrent en riant des pires représailles si elle ne donnait pas son idée sur-le-champ.

« Eh bien, voilà ! dit-elle. Puisque du grenier on voit très bien la route, avec les jumelles de marine de papa, nous serons aux premières loges !

— Sauf si Colas entre dans Dunes et...

— Minute, Daniel ! C'est toi-même qui as supposé que Colas était parti de plus près, tout à l'heure. Il y a de fortes chances pour que les autres l'attendent au même endroit. Le pauvre garçon n'a pas tellement l'air intelligent, on n'a pas dû compliquer les explications.

— Tant pis, c'est un risque à courir ! Nous ne pouvons absolument pas nous éloigner d'ici à l'heure du déjeuner. Nous n'avons aucun prétexte valable pour ça, sans mettre maman au courant, expliqua Martine. Donc, fonçons au grenier. Allez devant, le temps de prendre discrètement les jumelles et je vous rejoins ! »

Les deux garçons montèrent au grenier et s'installèrent à la lucarne donnant sur la route de Dunes. Sur la chaussée blanche, la silhouette de Colas était visible. Le garçon semblait toujours aussi peu pressé.

« Ecartez-vous ! » s'exclama Martine lorsqu'elle arriva.

Elle sortit de leur étui une paire de jumelles impressionnantes et les braqua sur Colas. Elle éprouva quelques difficultés avec la mise au point.

« Formidable ! Comme si nous étions à deux mètres de lui. Tenez, regardez ! »

Michel puis Daniel vérifièrent que le grossissement de l'instrument était vraiment considérable.

« Toujours rien de suspect en vue ! grommela Michel.

— Pourvu que Mme Deville ne nous appelle pas maintenant pour le déjeuner ! » souhaita Daniel.

Ils continuèrent à tour de rôle à surveiller Colas. Il s'écoula presque un quart d'heure — une attente interminable pour les trois impatients — avant que Daniel, qui tenait à ce moment-là les jumelles, ne s'écriât :

« Il ne va pas à Dunes... il quitte la route... tenez, regardez ! »

Les autres regardèrent.

« Mais, s'exclama Martine, étonnée, il entre dans la ruine de l'estaminet. Ça y est, je vois une deuxième silhouette qui se dresse, Michel avait raison. Quelqu'un surveillait la route, depuis l'estaminet !

92

— Le grand rouquin, je parie ! dit aussitôt Michel.

— Non, je ne crois pas, tiens, regarde, toi... »

Michel porta les jumelles à ses yeux et s'exclama peu après :

« Ça alors ! Le bonhomme du cirque, le brun costaud. Mais... Oh ! la brute ! Il vient de gifler le pauvre Colas... et pas pour rire, je vous assure ! »

Martine poussa une exclamation étouffée.

« Mon Dieu, j'ai eu tort... »

Daniel et Michel mirent quelques secondes à s'étonner.

« Tu as eu tort... de quoi faire ? » s'enquit celui-ci.

Martine s'était empourprée et son visage avait pris une expression tourmentée.

« Je n'ai pas remis la vraie rose bleue à Colas... finit-elle par avouer. C'est une autre fleur... qu'il a rapportée, celle que j'avais gagnée...

— Pourquoi ? C'est malin, tout est à recommencer ! » grommela Daniel, faussement furieux, en regardant son cousin d'un air entendu.

« En effet, riposta Michel, entrant dans le jeu. Comme nous ne pouvons pas manquer à notre promesse, force nous est de laisser Martine se débrouiller toute seule avec les amateurs de rose bleue... tant pis pour elle ! »

Mais Martine avait repris les jumelles et elle observait la ruine de l'estaminet.

« Colas repart seul, vers Dunes, cette fois ! Le pauvre ne doit plus rien comprendre. Lui qui d'habitude est récompensé pour les services qu'il rend. Il aura été servi aujourd'hui ! Je lui revaudrai ça à la première occasion ! En tout cas l'autre n'a pas l'air décidé à partir de la ruine... »

Daniel prit à son tour les jumelles.

« Tu te trompes, ma vieille, dit-il peu après. Ça y est, il s'en va...

« — Vers Dunes ?

— Non... par le chemin de traverse...

— Où peut-il aller ?... ça ne mène plus nulle part, depuis que le chantier est en route, le chemin est coupé par la clôture... »

Daniel inspecta la plaine jusqu'à l'horizon.

« Qu'est-ce que c'est, ce truc... on dirait un toit, dans la direction où va l'homme du cirque ? »

En même temps, Daniel tendait le bras pour désigner une masse sombre, indistincte, qui se dressait entre deux replis de terrain.

Martine utilisa les jumelles avant d'affirmer :

« Je vois ce que c'est... c'est une grange qui a appartenu aux Ronchot, avant l'expropriation. Il est prévu qu'une route passe par là, celle qui passera aussi par l'estaminet, d'ailleurs. Elle est assez mal en point cette grange, elle ne sert plus depuis plus d'un an, au moins ! »

L'homme qu'ils surveillaient se hâtait maintenant. Mais malgré leur désir de constater s'il se rendait à la grange, les enfants ne purent en avoir aucune certitude. L'homme disparut derrière le premier repli de terrain et, à ce moment précis, Mme Deville les appela pour le déjeuner.

« Remarque, Martine, nous t'aiderons peut-être quand même un peu... déclara Michel avant de s'engager dans l'escalier. Mais ce sera bien pour épargner à ta maman des angoisses inutiles, rien de plus !

— Tartufe, va ! s'exclama Martine en riant. Je savais bien que vous marcheriez, si je gardais la rose ! »

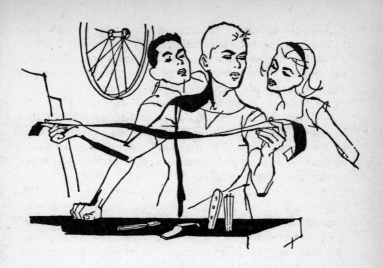

VIII

Après le déjeuner, ils se retrouvèrent tous les trois au
sous-sol.

« Est-ce que vous croyez que c'est bien prudent d'aller
au cirque, cet après-midi ? demanda sérieusement
Martine.

— C'est ça ! Dis tout de suite que tu ne veux pas
payer la moitié de ma place ! plaisanta Michel. J'ai
gagné, je vais au cirque ! Et vous payez !

— Moi, je veux bien ! estima Daniel, mais on
pourrait t'offrir l'équivalent du prix de ta place en
nougat, si tu veux ! Ou en berlingots !

— Ça, c'est une idée ! renchérit la jeune fille.
Quelques sucettes aussi, non ? »

Michel se prêta au jeu et le trio s'esclaffa.

« Soyons sérieux, l'heure est grave ! pontifia Michel. Je propose que nous accordions à ma proposition d'aller au cirque un instant d'attention. Il s'agit moins d'aller voir évoluer des chevaux et plastronner des athlètes que de marquer un point sur les amateurs de roses !

— Marquer un point ! Et comment ça ?

— Vous pensez bien qu'il ne serait pas prudent de laisser la rose ici, sans que Mme Deville sache que des visiteurs pourraient s'y intéresser. Même bien cachée, elle n'en constitue pas moins un appât sérieux, capable de déranger en pleine nuit des gens qui ne manquent pas d'astuce !

— Holà ! holà ! Dis que nous nous sommes conduits comme des enfants de troupe, comme disait mon grand-père ! Pour l'astuce, tu repasseras !

— Daniel, tu m'interromps bien mal à propos. Je disais donc que la rose, dissimulée, reste un appât susceptible de valoir à Mme Deville certains ennuis.

— Tu te répètes, mon vieux ! Abrège !

— La solution est simple ! Emmenons la rose avec nous !

— C'est pour en arriver là que tu nous as bâti un raisonnement aussi subtil ?

— ... Emmenons-la avec nous, poursuivit Michel, ignorant l'interruption, mais très visiblement, à ma boutonnière, par exemple !

— Chapeau ! s'exclama Daniel, aussi prompt à l'enthousiasme qu'à la critique. Comme ça, les "autres" sauront qu'il est inutile de revenir à Finiterre pour la chercher, et Mme Deville ne risque rien !

— Lorsque tu n'es pas complètement idiot ! déclara tranquillement Michel, très pince-sans-rire, tu comprends assez rapidement, il faut le reconnaître, n'est-ce pas, Martine ?

Martine surprit un regard échangé entre les cousins. →

— Sans compter que ton système offre un autre avantage ! répliqua celle-ci. Supposons que ses messieurs veuillent s'emparer de la rose, sur la place ou au cirque, nous les verrons de près...

— Là, pas d'accord ! coupa Michel. Nous en connaissons deux sur trois : le géant roux et l'athlète brun du cirque...

— Reste le troisième homme ! pouffa Daniel.

— Qui te dit que ce ne sera pas justement celui-là, le troisième homme, qui essaiera de s'emparer de la rose, tout à l'heure ?

— Ce serait une chance ! Parce qu'au fond nous ne serions pas très avancés, si c'était un de ceux que nous connaissons qui s'en emparait ! »

Daniel, qui n'avait rien dit depuis un instant, intervint à son tour.

« Et même si c'est ton "troisième homme", tout ça ne nous dira pas pourquoi ces gens-là s'intéressent tellement à trois plumes sur un morceau de laiton !

— Nous verrons bien ! Préparons-nous, maintenant, il doit être bientôt l'heure ! Le temps de faire la route !

— Je vais chercher la rose et je vous rejoins ! » dit Martine.

Elle remonta dans sa chambre et voulut sortir la rose de sa cachette. Mais elle s'y prit trop précipitamment et la tige de laiton se coinça entre le pied du meuble et la plinthe. Elle dut tirer un coup sec pour la libérer. La fleur se détacha de sa tige.

« Dommage ! gémit Martine. Sans sa tige, Michel ne pourra pas la glisser à sa boutonnière ! »

Elle fit glisser légèrement le meuble et libéra la courte tige de laiton.

« Martine ! Tu descends ? cria Mme Deville du rez-de-chaussée. Les garçons t'attendent !

— J'arrive, maman ! »

Martine dissimula les deux parties de la rose dans sa main et après avoir embrassé rapidement sa mère, elle rejoignit les deux garçons au sous-sol.

« Regardez ! dit-elle, je suis une idiote, j'ai abîmé la rose ! Notre plan est à l'eau !

— Pas du tout, protesta Michel. Il y a bien une petite pince dans les outils de ton père ? On va rajuster la tige tout de suite. Il y en a pour une minute ! »

Ils se rendirent tous les trois dans l'atelier qui était contigu à la chambre des garçons et Michel trouva l'outil cherché.

« Mais dites donc ! s'exclama celui-ci, il y avait un papier autour de la tige ? Il faudrait peut-être le remettre...

— Où est-il ? Tu l'auras perdu en route, peut-être ? demanda Martine.

— Pas du tout, ma vieille, lorsque tu m'as enlevé si élégamment la rose, hier soir, le papier trempé par la pluie est resté coincé sous mon revers, puis il est tombé sous mon lit. Il doit y être encore ! »

Michel s'éloigna et revint bientôt avec un papier vert, encore tortillé sur lui-même, mais un peu déroulé par la pluie. Il allait l'enrouler autour de la tige de laiton lorsque Daniel s'écria :

« Hé ! Minute. Qu'est-ce que c'est que ces inscriptions, sur ce papier ? »

Il s'empara du papier de soie vert et, avec de grandes précautions, le déroula entièrement.

« Qu'est-ce que je disais ! triompha-t-il. Regarde ! »

Michel s'approcha et découvrit, ébahi, que le papier était couvert d'indications étranges : lignes droites perpendiculaires, formant dans deux des angles deux croix de deux centimètres environ, tracées en pointillé sans autre indication que des chiffres.

« A première vue, c'est un peu confus ! constata Michel.

— Ça rappelle quelque chose, les croix aux angles avec les chiffres ! déclara Daniel.

— J'y suis ! s'exclama aussitôt Michel. Des croix de rappel pour poser un calque sur une carte ! Ce papier-là doit être un calque. Si nous avions une carte, nous saurions de quoi il s'agit.

— Papa en a, des cartes, mais elles sont dans la voiture.

— Enfin, dit Daniel, je commence à comprendre l'intérêt que nos inconnus prennent à la rose. Il y a de grandes chances pour que ce papier soit un plan et que ce plan leur soit précieux.

— Qui donc parlait de La Palice, hier, Daniel ? s'enquit sérieusement Michel.

— L'heure tourne, "messieurs" ! intervint Martine d'un ton moqueur. Décidons une bonne fois ce que nous faisons ! »

Michel n'hésita qu'une seconde.

« Rien de changé au programme, pour le moment ! Le temps de remonter la tige, sans le papier, bien sûr, et nous filons ! Avec ou sans papier, nos amateurs de rose n'y verront que du bleu, du moins pour le moment !

— Et le plan ? On le cache ?

— Facile, n'importe où, il est si petit ! »

Martine le dissimula derrière le tube d'une conduite électrique, contre le mur du sous-sol. Pendant ce temps, Michel acheva la réparation. Il fixa la fleur au revers de sa veste et le trio prit le chemin de Dunes-sur-Mer.

« J'ai l'air fin, moi, avec cette boutonnière ! constata Michel. Je vais me distinguer, sur la place !

— C'est ce que tu veux, non ? Seulement méfions-nous ! déclara Daniel. Il se pourrait bien que nos zèbres se contentent de t'arracher la fleur et de filer. Dans la foule, il sera peut-être difficile de les reconnaître !

— Le mieux serait d'encadrer Michel, proposa Martine, et de bien surveiller les gens autour de nous !

— Comptez sur moi ! affirma Michel. J'ouvrirai l'œil ! S'ils se risquent à vouloir reprendre la rose, je saurai bien les découvrir !

— Espérons-le ! » conclut Daniel.

IX

En chemin, ils émirent plusieurs suppositions sur la nature et l'importance du plan. Mais aucune n'eut l'heur de les satisfaire.

Ils croisèrent Colas, qui traînait nonchalamment les pieds dans l'herbe du bas-côté. A leur vue, le garçon eut un étrange sourire, où l'on pouvait deviner de la crainte, et comme un reproche. Martine sortit de sa poche quelques pièces de monnaie et alla les porter au jeune garçon dont le visage s'éclaira franchement cette fois.

Ils passèrent devant « l'Estaminet des Chasseurs ». Michel et Daniel tinrent à aller examiner la ruine. Mais rien de suspect ne leur apparut.

« Je préfère cet endroit-là le jour que la nuit ! »

réaffirma Martine lorsqu'ils la rejoignirent sur la chaussée.

« Comment se fait-il que personne n'ait songé à reconstruire cette maison ? demanda Daniel.

— Martine t'a dit tout à l'heure qu'une route était prévue...

— Pas depuis 1940 quand même ! Pour que la pompe à essence soit dans cet état-là et qu'elle ait encore une étiquette à ce tarif-là, il faut que ce soit depuis longtemps que la maison a été bombardée !

— Daniel a raison. La maison a été bombardée deux fois. En 1940 et en 1944. Les troupes anglaises occupaient cette région-ci les deux fois. »

Tout en bavardant, ils arrivèrent au village, où le concert des haut-parleurs avait recommencé dans une cacophonie insupportable. Une foule plus dense encore que la veille avait envahi la place. Une grande majorité d'hommes — les ouvriers du tunnel pour la plupart — erraient, endimanchés, d'une extrémité de la place à l'autre. Des équipes de boulistes, entourés de supporters bruyants et agités, achevaient le concours commencé le matin. La parade du cirque n'avait pas encore débuté lorsque le trio déboucha sur la place.

« On fait un carton, cette fois ? proposa Daniel. Michel nous doit une revanche.

— Pas prudent, mon vieux ! affirma Michel, après un instant de réflexion. Il y a foule au stand et ce serait un jeu pour nos lascars de s'emparer de la rose sans que nous puissions les apercevoir. Je ne veux absolument pas manquer mon troisième homme !

— Michel a raison ! convint Martine. Promenons-nous, simplement. Après tout, c'est la meilleure façon de montrer la rose ! »

Ils traversèrent deux fois la place dans toute sa

longueur, sans se presser. Tout à coup, Michel s'arrêta et signala aux deux autres la présence de l'homme à la pipe.

« Regarde, Daniel, dit-il à mi-voix, le bonhomme de ce matin, celui qui nous observait avec tant d'attention sur la plage ! Il est là et il nous regarde encore ! S'il n'avait pas des cheveux gris, j'irais volontiers lui demander s'il veut ma photographie. »

C'était bien l'homme au complet beige, en effet, qui les dévisageait avec sa tranquille curiosité coutumière.

« C'est peut-être la rose qui l'intéresse, lui aussi ! intervint Martine. Il était tout près du stand, hier soir, non loin de l'homme brun, d'ailleurs ! Et si c'était lui le troisième homme ?

— Pas bête, ton idée ! admit Daniel. Il aurait pu faire signe au grand rouquin !... »

Mais l'éclat de la fanfare du cirque, qui attaquait à grand renfort de cuivres une marche militaire, les attira à l'extrémité de la place.

La foule était si dense qu'ils durent rester au dernier rang. Un prestidigitateur se livra à des tours classiques, menue monnaie du métier mais qui suffirent à déclencher les applaudissements d'un public bon enfant.

Pourtant, les trois amis ressentirent ensemble un choc lorsque l'homme tira d'un chapeau un bouquet de roses bleues qu'il présenta à la foule.

« J'ai l'impression qu'il n'y a pas que le stand de tir qui pourrait s'appeler *A La Rose bleue !* murmura Daniel. Une belle équipe on dirait !

— Et si c'était un signal, pour quelqu'un qui se trouverait dans la foule ? demanda Martine sur le qui-vive.

— Quoi qu'il en soit, reprit Michel, l'homme à la pipe ne nous lâche pas d'une semelle. Il est à ma droite, à trois mètres ! »

Martine et Daniel aperçurent à leur tour leur mystérieux ange gardien. Il était vraiment difficile de deviner
ce qu'était exactement cet homme. Il pouvait aussi bien
appartenir à l'équipe de construction du tunnel, qu'être
un villageois du cru.

« Ce qui est formidable, constata Daniel, c'est que sur
la plage, au tir ou ici, il a toujours l'air "ailleurs", absent.
Il a tout du bovidé, ce bonhomme-là !

— Avec ses épaules et son torse, il serait aussi bien
sur un ring de lutte ! » approuva Michel.

La parade continua par un intermède de clowns.
Entrée classique, elle aussi, du clown en habit pailleté
et de l'auguste dépenaillé. Sur l'estrade, l'effet comique
était accentué par le contraste qui existait entre les deux
hommes. Le clown était de taille moyenne alors que
l'auguste devait frôler les deux mètres.

« Je parierais que le grand, c'est notre homme du
train ! murmura Michel à l'oreille de Daniel. Tout à fait
sa carrure. »

La parade prit fin et un mouvement se dessina vers
la caisse, encouragé par les clameurs de l'aboyeur, muni
d'un micro.

Lorsqu'ils arrivèrent à la hauteur du guichet, après
une interminable procession, Martine fit remarquer à ses
compagnons le chapeau trop fleuri d'une dame qui les
suivait dans la file.

« Un vrai parterre ! » dit-elle.

Munis de leurs billets, ils franchirent le rideau de
velours fané qui masquait l'entrée. La piste, fraîchement
ratissée, étalait sa sciure blonde dans les limites de la
classique barrière blanche, couronnée de velours grenat.
Une quinzaine de rangées de gradins ceinturaient la piste.
Par une ouverture ronde, dans la bâche du chapiteau, la
lumière entrait à flots et trouait la pénombre comme le
faisceau d'un phare.

Ils se trouvèrent au second rang, et par désœuvrement observèrent le mouvement des spectateurs qui s'installaient.

« Pas d'erreur, il se prend pour notre ange gardien ! souffla Michel à l'oreille de son cousin, en lui désignant l'homme à la pipe, imperturbable, sur la même rangée qu'eux, à une dizaine de places de là.

— Il a bien le droit d'aimer le cirque, cet homme ! fit remarquer Daniel. Je crois que tu as tort. Dunes est un petit pays, c'est à peu près normal d'y rencontrer souvent les mêmes gens ! »

Michel ne parut pas convaincu. Martine pouffa, apparemment sans raison, et ce ne fut qu'avec d'infinies précautions qu'elle signala la présence de la dame au chapeau fleuri, juste derrière eux. L'élégance surannée de la pauvre femme lui donnait un air cocasse.

Le programme débuta par un numéro de cavalerie. Puis des acrobates au tapis récoltèrent de maigres applaudissements pour un numéro de main à main. Des

jongleurs, des animaux savants suivirent. L'entrée des clowns déclencha l'enthousiasme des enfants. Martine et les deux garçons s'amusèrent franchement aussi.

Daniel admit que la supposition de Michel était fondée ; l'auguste devait être le géant du tortillard.

Mais une clameur de surprise, bientôt accompagnée de cris aigus, salua l'irruption d'un faux orang-outan. L'animal se jucha aussitôt au milieu des spectateurs, en se grattant avec énergie. Les rires, les exclamations, les cris apeurés des spectatrices accompagnèrent les pitreries de l'homme déguisé en singe. Il se livra à de véritables acrobaties, à mille facéties aux dépens des Marindunois. Il bondissait d'un gradin à l'autre, fonçait soudain sur la piste pour rejoindre les clowns avant de franchir d'un nouveau bond la barrière blanche et rouge de la piste.

« Il est fort, celui-ci ! » constata Michel, qui s'amusait beaucoup.

Brusquement, le faux singe bondit dans leur direction. Si brusquement, même, que d'instinct ils s'écartèrent. Mais ce n'était pas à eux que l'autre en voulait. Ils le virent enlever le chapeau fleuri de leur voisine, s'en coiffer avec des gestes volontairement maladroits et se dandiner pour se faire admirer. La dame clama son indignation sur le mode aigu, mais en vain. L'animal parut découvrir tout à coup, avec un intérêt considérable, la rose bleue que Michel portait à la boutonnière. Sans hésitation, en poussant des grognements de satisfaction, il s'en empara et en glissa la tige sous le ruban du chapeau. Il regagna la piste en effectuant une sorte de tour d'honneur d'une démarche simiesque parfaitement imitée.

Après quelques pitreries, il disparut en coulisse.

« Il emporte la rose ! s'exclama Martine.

— Et le chapeau aussi ! ajouta Daniel. La dame va la trouver mauvaise ! »

Mais ils restèrent ébahis ! Lorsqu'ils se retournèrent, la place occupée précédemment par la spectatrice au chapeau fleuri était vide ! Profitant sans doute du tumulte des applaudissements, elle avait quitté son banc.

Une autre surprise les attendait. En saluant, l'auguste retira sa perruque et prouva que leurs suppositions étaient fausses : ce n'était pas le géant roux ! Les cheveux bruns, le visage maigre ne laissaient aucun doute.

« La dame est sûrement partie rechercher son bien ! supposa Martine.

— On va bien voir. Elle reviendra peut-être. Dans ce cas-là on lui redemandera la rose ! Elle a bien assez de fleurs, déjà, sur son chapeau ! »

Mais l'entracte arriva : la spectatrice n'était pas revenue.

« Je commence à croire que cette histoire de chapeau n'est pas aussi simple qu'elle en a l'air ! déclara Michel après un temps de réflexion.

— Tu penses que la dame au chapeau pourrait être la complice des amateurs de rose ?

— Difficile de le savoir. Mais avoue que son départ, juste après le numéro du singe, est un peu extraordinaire. Ce serait une coïncidence bizarre, c'est le moins qu'on puisse en dire !

— En attendant, nous qui voulions nous débarrasser de la rose et éviter des ennuis à ta maman, nous sommes servis ! » constata Daniel.

Un roulement de tambour préluda à une annonce faite par le « Monsieur Loyal » de l'établissement. La visite de la ménagerie du cirque était autorisée pendant l'entracte.

« On y va ? C'est peut-être le bon moyen de savoir ce qu'est devenue notre jardinière sur chapeau ! proposa Michel.

— Bonne idée ! acquiesça Martine. Tu sais ce à quoi

je pensais, il y a une minute ? Et si cette dame... *c'était ton troisième homme* ? »

Michel et Daniel s'esclaffèrent.

« Belle formule, Martine ! déclara celui-là, mais je ne vois pas !

— C'est simple ! Imagine que ce soit par hasard que le singe se soit emparé, de la rose et l'ait piquée dans son chapeau. Bon... Suppose qu'elle soit le... enfin la troisième complice ! Elle n'attendait peut-être qu'une occasion pour s'en emparer ; elle a tout de suite vu le parti qu'elle pouvait tirer de l'incident. Elle est allée rechercher son chapeau en coulisse et en même temps la rose !

— Lumineux ! » admit Michel, après un temps de réflexion qui les amena jusqu'au vomitoire par où les spectateurs pouvaient accéder dans les coulisses du cirque. « Mais ton raisonnement ne colle pas ! »

Ils s'écartèrent un peu de la file des spectateurs qui commençaient la visite. Michel reprit :

« Si le singe n'avait pas été complice, c'est-à-dire si la rose ne l'avait pas intéressé, il aurait cherché à rendre le chapeau et la fleur ; c'est ce qui se fait d'habitude. Or il n'a même pas regardé de notre côté, à la fin de son numéro ! Je ne vois qu'une explication : tout était combiné d'avance ! »

Martine ne parut pas convaincue.

« Tu ne vas tout de même pas prétendre, dit-elle, qu'ils pouvaient savoir que nous viendrions au cirque, *justement*, cet après-midi.

— Bien sûr que non ! Mais nous ne nous sommes pas cachés, au contraire... un complice a pu nous suivre, sur la place, voir que nous prenions la file pour entrer ici. C'est à ce moment-là qu'ils ont dû tout combiner ! »

Martine admit que c'était vraisemblable. Mais elle ajouta :

« Il y a encore une autre possibilité. Cette dame n'était peut-être que la complice du singe... je veux dire sa partenaire rien que pour le numéro. Ça expliquerait son accoutrement démodé et son chapeau ridicule. Une fois son rôle joué, elle n'avait plus aucune raison de rester derrière nous. C'est peut-être seulement par hasard que le clown-singe s'est emparé de la rose, en pensant que ça n'avait pas d'importance pour nous !

— Pas mal non plus, ton raisonnement... mais il vaudrait mieux ne pas attendre la fin de l'entracte pour visiter. Suivez le guide ! » s'exclama Michel.

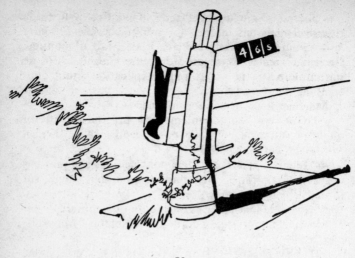

X

La « ménagerie » du cirque international se signalait bien plus à l'attention par l'odeur fauve qui s'en exhalait que par la rareté des spécimens qu'elle présentait.

Le trio en fit le tour rapidement, sans trouver trace de la dame au chapeau. Ils allaient faire demi-tour, lorsque Michel, toujours curieux, poussa une portière de toile sur laquelle était peint cet avertissement : « Entrée interdite ».

Mais il la laissa retomber aussitôt et son recul bouscula ses compagnons.

« Hé ! là ! maugréa Daniel, doucement ! Tu m'as écrasé les pieds !

— Chut ! Venez ! J'ai découvert quelque chose ! »

Il entraîna les deux autres assez loin de l'ouverture.

« Alors ? s'impatienta Daniel. Qu'est-ce que tu as découvert de si important ? Le troisième homme ?

— Peut-être, admit Michel, réticent. En tout cas, l'homme-singe, c'est notre deuxième homme, le brun costaud ! Il portait encore sa défroque sur le bras.

— C'est pour ça que je vais boiter bas pendant au moins deux jours ? plaisanta Daniel.

— Il n'était pas seul, l'homme-singe ; et je te donne en mille qui était avec lui, en train de parler d'un air bizarre ! Une vraie discussion !

— Dis vite ! intervint Martine, impatiente.

— Alex Ronchot ! »

Martine parut surprise.

« Alex Ronchot... sans Justin ? C'est étonnant, en effet ! »

Mais l'orchestre du cirque attaqua le morceau de reprise et ils se dirigèrent vers leurs places.

Michel confia à Daniel, au moment où ils s'asseyaient :

« Et si c'était lui, Alex, le troisième homme ? Ça expliquerait bien des choses ! Il a pu savoir nos prénoms par Justin, et Martine nous a présentés, hier soir !

— ... ça expliquerait aussi que l'homme-singe utilise la grange, s'ils sont complices ! »

L'entracte prit fin et les trois jeunes gens se laissèrent prendre au plaisir du spectacle. Tout à coup, Martine sentit que quelqu'un lui tapotait l'épaule. Elle se retourna, surprise, et son geste attira l'attention de ses amis. Ils restèrent médusés.

La spectatrice était revenue à sa place et elle tendait à la jeune fille... *la rose bleue*, retirée du chapeau qu'elle avait de nouveau sur la tête !

« Sont-ils sans gêne, quand même ! commenta la dame. Ils auraient bien pu me le rapporter ici ! Je crois bien que si je n'avais pas été protester à la direction, ils le gardaient ! Je sais bien que c'est un vieux chapeau, mais quand même ! Chacun tient à ses affaires, pas vrai ? »

Martine, stupéfaite de retrouver la rose et de voir s'écrouler tous les raisonnements que ses amis et elle-même avaient si pertinemment construits, pendant l'entracte, ne put que balbutier un banal remerciement en regardant la rose comme si elle risquait d'exploser ! Michel s'en empara et la fixa de nouveau à sa boutonnière.

« Tout est à recommencer ! souffla-t-il à l'oreille de son cousin. C'est le plan qui intéresse les autres, pas la rose ! »

L'incident les avait bouleversés au point qu'ils ne suivirent le reste du spectacle que très distraitement. La représentation se termina par un numéro étourdissant de brio, au trapèze. Lentement, la foule s'écoula pendant que l'orchestre tonitruait la classique « retraite ».

Lorsqu'ils furent un peu éloignés du cirque, Martine et ses deux amis s'arrêtèrent pour discuter.

« Selon toute probabilité, commença Michel, puisque c'est le plan qui intéresse ces messieurs, et que nous avons encore ce plan en notre possession, nous devrions de nouveau recevoir de la visite cette nuit !

— Je ne vois qu'une solution, affirma Daniel d'un air trop sérieux pour être vrai.

— Laquelle, s'il te plaît ?

— Proclamer à son de trompe, par la voix du tambour municipal, que nous tenons le plan à la disposition de ses légitimes propriétaires ! répliqua Daniel sans rire.

— Hum... un son de trompe par la *voix* d'un tambour ! J'aimerais assez entendre ça ! »

Martine éclata de rire.

« De toute façon, nos raisonnements ne nous mèreront à rien, tant que nous ne connaîtrons pas le troisième homme et surtout tant que nous ne saurons pas pourquoi ce trio se conduit de la sorte. En somme la seule chose que nous puissions faire, c'est d'attendre les événements ! »

Bien malgré eux, Michel et Daniel se résignèrent à adopter ce point de vue.

« En somme, comme dit si bien Martine, continua Michel, nous connaissons *de visu* deux des amateurs de rose, le grand rouquin et l'homme-singe.

— Plus j'y pense, plus je trouve qu'il n'a pas insisté beaucoup, ton géant, pour l'obtenir, la rose, au stand, hier soir ! déclara Martine.

— N'empêche qu'il était bien de l'expédition, cette nuit ! rétorqua Michel. Je crois bien qu'il n'a pas insisté, justement à cause de la présence de l'homme à la pipe... Et si c'était un policier, ce bonhomme-là, après tout ? »

Mais ce fut Martine qui trouva une solution.

« Puisque nous connaissons deux des complices, rien ne nous empêche de les filer, discrètement, lorsque nous en aurons l'occasion ! Ils doivent bien se retrouver quelque part, non ?

— Hum... s'ils se rencontrent en plein jour !

— Il a bien osé se montrer au stand, hier soir, en pleine foule ! »

Ils décidèrent de rentrer à Finiterre. Ils venaient de quitter le village, lorsque Daniel signala devant eux une silhouette connue.

« Hé ! regardez ! Quand on parle du loup... »

L'importante stature de l'homme qui les précédait, assez loin sur la route, ne laissait aucun doute sur son identité. Il avançait normalement, sans paraître chercher à se dissimuler. Il disparaissait parfois lorsque la route sinuait entre ses talus, mais, toujours, les jeunes gens le retrouvaient devant eux, une fois le virage dépassé.

« J'ai une idée, s'écria Michel. Lorsqu'il sera hors de vue, nous devrions presser l'allure ; en procédant comme ça deux ou trois fois, nous finirons par être à sa hauteur. Je donnerais gros pour voir sa réaction en nous apercevant, après l'équipée de cette nuit !

— Ton idée ne vaut rien, protesta Daniel. Je croyais que nous voulions le filer, pour découvrir qui sont ses complices et où il les retrouve.

— Ça n'empêche pas ! Rien ne presse ! J'ai l'impression qu'il ne sera pas ravi-ravi de nous voir arriver en ce moment ! Nous verrons bien si notre présence le gêne. On pourrait en conclure que c'est parce qu'il devait rencontrer quelqu'un !

— Si tu veux, après tout, nous verrons bien. »

Mais ils eurent beau prendre le pas gymnastique ; lorsqu'ils débouchèrent du virage, ils s'arrêtèrent, stupéfaits, un peu essoufflés : profitant de la courbe, l'homme avait disparu !

« C'est quand même un peu fort ! » grommela Daniel.

Ils inspectèrent le paysage. La route était encastrée entre ses talus, un fossé longeait les deux bords de la chaussée, mais la plaine était vide, à l'exception de la ruine de l'« Estaminet des Chasseurs ». Seulement, la maison sinistrée se trouvait assez loin du point où l'homme aurait dû se trouver normalement s'il avait continué à avancer à la même allure tranquille.

« Il faut supposer une chose ! Il a dû nous apercevoir et, dès que la courbe de la route l'a dissimulé, il a filé à toutes jambes. Il est maintenant caché dans les ruines de l'estaminet !

— Qu'est-ce que ça signifie ? demanda Martine. Tu crois qu'il nous guette ?

— Peut-être ! De toute façon, c'est une bonne occasion pour savoir ce qu'il veut ! Allons-y ! »

Ils repartirent, mais cette fois sans se presser. Ils arrivèrent à proximité de la ruine, sans apercevoir le moindre signe de vie.

« Si nous n'étions pas trois à l'avoir vu, murmura Daniel, on pourrait croire que nous avons rêvé !

— On peut toujours jeter un coup d'œil ! estima Michel. Martine, reste sur la route, veux-tu, c'est plus prudent !

— Pourquoi ? Je peux faire ce que vous faites.

— Nous sommes responsables de toi à l'égard de ta mère, bébé ! Obéis, ou sinon nous ne te sortons plus ! plaisanta Daniel. D'ailleurs, il vaut mieux que l'un de nous reste à distance, comme témoin, ça fera réfléchir le bougre, s'il avait de mauvaises intentions ! »

Après cette précaution, les deux garçons s'approchèrent de la façade, ou du moins de ce qu'il en restait. Elle dissimulait un amoncellement de matériaux, pans de mur, bois vermoulu, tuiles moussues entassées sans précaution sur le carrelage de ce qui avait été la salle. Entre les touffes d'herbe qui avaient envahi les joints du carrelage, le dessin en mosaïque était encore visible par places.

Debout dans l'ouverture sans porte, Michel examinait le tas lorsqu'il se sentit heurté doucement par le coude de Daniel.

« Regarde, au-dessus du tas de briques... *la fumée* ! »

Dans la direction indiquée, en effet, une volute de fumée bleutée s'élevait lentement au-dessus des décombres.

Ils restèrent immobiles, indécis. Ils n'avaient pas prévu que l'homme disposait d'une cachette bien connue de lui, puisqu'il avait pu la rejoindre en si peu de temps.

Peut-être même ne les avait-il pas aperçus, mais venait-il normalement aux ruines. S'avancer, vérifier la présence de l'homme trahi par la fumée de sa cigarette, c'était risquer une désagréable surprise. Ce n'était plus la même chose que d'arriver, apparemment par hasard, à sa hauteur, sur la route.

Pourtant Michel réfléchit et proposa :

« Faisons le tour. De la route transversale on doit apercevoir l'arrière de la maison. »

Ils regagnèrent l'endroit où Martine les attendait.

« Je vais avec vous », déclara-t-elle lorsqu'elle fut mise au courant de l'incident de la fumée.

Le trio s'engagea sur la route transversale. Après avoir parcouru une vingtaine de mètres à l'abri du talus, Michel s'arrêta et s'allongea de manière à n'avoir que les yeux au niveau de la crête. Il fit signe à ses compagnons de rester où ils étaient.

Il scruta longtemps la façade arrière de la maison, mais lorsqu'il revint retrouver Daniel et Martine dans le fossé, il exprima sa déception.

« Avec l'herbe qui entoure la maison, on ne voit pratiquement rien, d'ici ! »

Il déclara qu'il allait s'approcher de la maison, mais Martine l'en dissuada.

« C'est de la témérité, Michel, et ça ne nous mènera à rien. Il vaudrait mieux revenir plus tard, quand nous serons sûrs qu'il n'y a personne. Peut-être découvrirons-nous des choses intéressantes. »

Pourtant, déçu de ne pas en savoir davantage, Michel se dressa sur la crête du talus. Il n'aperçut cette fois qu'un autre pan de mur, encore percé d'un soupirail, mais un soupirail entièrement bouché par des briques empilées.

« C'est pourtant bien de là que sortait la fumée ! grommela-t-il pour lui-même. Il est matériellement impossible que notre lascar ait pu s'introduire par ce soupirail et entasser ensuite ces briques, même de l'intérieur ! Il aurait fait du bruit, nous l'aurions entendu, lorsque nous étions à la porte de l'estaminet. »

Il redescendit, et cette fois le trio repartit vers Finiterre. Les trois amis ne s'étaient pas éloignés de plus de trente mètres de l'estaminet, qu'un éclat de rire les fit se retourner. Stupéfaits, ils aperçurent le géant roux au milieu de la route, devant la ruine, qui leur adressait un signe goguenard avant de reprendre le chemin de Dunes-sur-Mer !

« Il s'est bien joué de nous, celui-là ! grommela Daniel.

— On ne peut pas être plus désinvolte. Il a un certain toupet, ce bonhomme-là !

— Le résultat le plus clair, c'est que, pour aujourd'hui, du moins, notre filature est manquée ! » conclut Martine.

Mais Michel ne voulut pas s'avouer battu.

« Laissons-le s'éloigner. Je veux en avoir le cœur net. Il s'est bien dissimulé quelque part, pendant que nous le cherchions dans le chemin de traverse ! »

Ils firent mine de poursuivre leur route vers Finiterre et, lorsque le géant roux fut hors de vue, ils revinrent rapidement sur leurs pas. Ils pénétrèrent cette fois franchement dans ce qui restait de l'estaminet.

Ils découvrirent un bout de cigarette blonde devant le soupirail. Elle achevait de se consumer. La longueur de la cendre était impressionnante.

« Il est impossible qu'il ait été là, pendant que nous le regardions à vingt mètres d'ici ! affirma Daniel.

— Il a pu aussi bien jeter sa cigarette avant de se cacher ! déclara Martine.

— En fait, je ne crois pas qu'il se cachait ! Sinon il n'aurait pas attiré notre attention en riant aussi fort, comme s'il voulait nous prouver qu'il s'était bien dissimulé dans la ruine », objecta Michel.

Ils poursuivirent leurs recherches, mais en vain. Nulle part l'amas des décombres ne révélait de cachette, ni d'entrée possible dans la cave, qui d'ailleurs devait être comblée.

Tout à coup, Michel poussa une exclamation.

« Dites, c'est bizarre ! La cigarette, c'est une Churchman Number One ! Ce n'est pas une marque qu'on trouve facilement en France. Je crois bien que j'ai entendu quelqu'un s'en plaindre, papa peut-être.

— Oui et alors ?

— Eh bien, si on ne trouve pas de ces cigarettes en France, c'est que notre géant roux vient d'Angleterre, ce qui expliquerait bien des choses ! »

L'importance de cette découverte laissa le trio muet de surprise. Parce que la présence d'un sujet de Sa

Gracieuse Majesté britannique, sur le territoire de Dunes-sur-Mer, à proximité du tunnel, soulevait tout de suite un grave problème.

« Et si c'était un saboteur, un rescapé de la fameuse organisation dont nous a parlé ton père, Martine ?

— Ce serait grave, alors, murmura pensivement celle-ci.

— Ça expliquerait l'importance donnée par nos visiteurs de cette nuit à la rose bleue et au plan ! conclut Daniel.

— Toi qui souhaitais qu'on sabotât le tunnel, plaisanta Michel, tu es servi ! Tu devrais les aider !

— C'est bien ce que je vais faire ! »

Par jeu, Daniel s'éloigna, l'air exagérément sérieux, sourcils froncés, dans l'attitude caricaturale du détective de comédie lancé sur une piste. Il décrivit des cercles concentriques autour de l'estaminet, s'éloignant de plus en plus.

Michel et Martine le regardaient faire le pitre, en s'amusant. Mais tout à coup, Daniel s'arrêta et les appela :

« Accourez, braves gens ! Nous avons trouvé ! »

Daniel était arrêté près du squelette rouillé de la pompe à essence.

Martine et Michel crurent un instant que l'appel faisait partie du scénario que Daniel venait de jouer. Ils entrèrent pourtant dans le jeu et s'approchèrent.

« Regardez ! » s'écria Daniel, changeant de ton cette fois.

Sous la carcasse de la pompe, une dalle de ciment était visible, en partie seulement. L'herbe recouvrait le reste.

« C'est ça, ta découverte ? demanda Michel, déçu.

— Mais oui, mon vieux, ça sonne le creux, là-dessous.

— Evidemment, sous une pompe il y a toujours une citerne, pardi !

— Une citerne *vide*, dans le cas qui nous occupe !

— Bien sûr, persifla Michel, le grand rouquin était caché dans la fosse ! Il y est sûrement descendu par le tube, là, sous la pompe, sous forme de fumée, comme dans l'histoire d'Aladin et le Génie de la lampe !

— Tu peux te moquer, mon vieux, c'est malin ! N'empêche que je sais une chose : sur une citerne, qu'elle soit destinée à contenir de l'eau de pluie ou de l'essence, il y a toujours une trappe de visite !

— Peut-être, mais ta trappe de visite, si j'en juge par ce que je vois, elle doit être sous vingt centimètres de terre et un bon demi-mètre d'herbe. Si tu veux dire que c'est par là que notre rouquin est entré dans la fosse pour s'y cacher...

— Qui est-ce qui te parle de ça ? Mais je me dis que ce n'est pas pour rien qu'il est venu jusqu'ici, "notre rouquin", et qu'il peut fort bien, après avoir été inspecter la ruine, en y laissant sa cigarette — peut-être pour nous induire en erreur, peut-être simplement parce qu'il l'a laissée tomber — être venu se cacher dans l'herbe, par ici. L'herbe est foulée, tenez ! Il a dû bien rire, en nous voyant passer derrière la maison ! »

Martine et Michel vérifièrent que l'herbe était en effet foulée.

« Donc, il nous avait vus venir ! Il se méfiait sans en avoir l'air.

— Il n'a dû rencontrer personne, en tout cas ! »

Mais Daniel poursuivit ses recherches. Il revint à l'estaminet, suivi de son cousin et de Martine.

« Il avait tout de même une raison pour venir ici ! » répétait-il.

Quelle que fût cette raison, le trio ne découvrit aucun indice qui lui permît de la deviner.

Ils repartirent en direction de Finiterre sans avoir la moindre idée.

Ce ne fut qu'en arrivant en vue de la villa que Michel proposa :

« Et si nous prenions au sérieux cette histoire de plan... Trouve-nous une carte, Martine, et tenons un conseil de guerre au sous-sol ! Je crois que c'est urgent. »

*
* *

Un quart d'heure plus tard, le trio était installé au sous-sol. Martine avait descendu un fer à repasser électrique qui permit de défroisser le fin papier vert ayant servi à entourer la tige de la rose.

Malheureusement, ils constatèrent très vite que la carte fournie par Martine n'était pas à la même échelle que le plan.

« Il faut pourtant que nous comprenions les indications qui sont portées là-dessus ! » décida Michel.

En plus de quelques traits fins, le plan portait des lettres. Des abréviations, semblait-il.

« D, S, M, c'est facile ! Ce rond doit signifier Dunes-sur-Mer. P, H... qu'est-ce que ça veut dire ? Et ce B, là, presque dans le coin. Et ce S ? Martine, toi qui es déjà du pays, tu connais les lieux-dits, avec leur nom ? »

Martine éclata de rire, d'une façon assez inattendue. Les deux garçons la regardèrent, étonnés.

« Bien sûr que je connais les lieux-dits. Du moins la plupart, mais je crois que ma science ne vous sera pas utile.

— Comment ça ? » protesta Daniel.

Martine reprit son sérieux.

« Je m'étonne que vos brillants esprits n'y aient pas pensé plus tôt, dit-elle, il semble que nous ayons affaire à des Anglais. Les initiales qui sont là doivent désigner des noms anglais, à l'exception de D, S, M, bien entendu !

— Chic ! Un chic pour Martine, nous sommes deux idiots de ne pas y avoir pensé plus tôt ! affirma Michel.

— Minute ! *Tu* es un idiot... protesta pour rire Daniel. Je crois que j'étais sur le point de trouver, moi aussi !

— Menteur ! Tu n'allais rien trouver du tout !

— Et si vous cherchiez, maintenant, ce que peuvent vouloir dire ces lettres ? intervint Martine. Ce serait plus utile ! »

Ils cherchèrent. P, H leur donnèrent d'abord « Physician », « Power-House » jusqu'à ce que ce nom composé leur en donnât un plus courant... « Public-House » !

« Mais bien sûr ! C'est ça ! Public-House ! Café... égale estaminet ! Cette croix, c'est le carrefour des Quatre-Chemins. Hourra ! Reste le B, ce petit rectangle...

— Attends, maintenant que nous avons Dunes et l'estaminet, on peut s'orienter. Ça donne quoi, la direction de ce B ? »

Martine n'eut pas à réfléchir longtemps.

« Mais ça donne la grange des Ronchot ! Celle vers laquelle le "Robert" de Justin se dirigeait à midi et que les fermiers ont abandonnée, je vous l'ai dit, je crois !

— La grange ! Ça y est, *barn*, c'est complet !

— Parfait. Reste à savoir pourquoi ces messieurs s'intéressent à la grange des Ronchot et à l'estaminet.

— Nous finirons bien par en avoir le cœur net. Mais ce qui ne fait plus l'ombre d'un doute, c'est que nous avons affaire à des Anglais, conclut Michel.

— Je me demande comment ils font, ce Robert et

notre géant roux, pour éviter le contrôle des sauf-conduits, grommela Daniel.

— Mais Robert Stone doit en avoir un, lui... puisqu'il est employé au cirque.

— Peut-être, mais sûrement pas le grand rouquin !

— Reste le troisième homme, déclara Michel. Comment savoir qui il est ? Il faudrait absolument filer nos deux lascars, ceux que nous connaissons.

— Ou surveiller les deux points marqués sur la carte : l'estaminet et la grange ! Ça me paraît plus facile, non ?

— Daniel a raison ! intervint Martine. Puisque ces deux points sont sur la carte, c'est qu'ils ont une importance particulière pour eux, et moi, j'aime mieux surveiller que suivre quelqu'un dans le noir, c'est moins difficile !

— Bon, admit Michel. Puisque vous êtes d'accord tous les deux, adopté à l'unanimité. Seulement votre système pèche par manque d'effectif !

— Qui ? Qu'est-ce que tu veux dire ? Eclaire ta lanterne, Michel ! maugréa Daniel.

— Trois n'est pas divisible par deux. Nous avons deux points à surveiller, il nous faut deux équipes, et nous ne sommes que trois ! »

Daniel éclata de rire.

« Il y a une solution très simple. Martine reste au P. C., c'est-à-dire à Finiterre...

— Pas du tout ! protesta aussitôt celle-ci. Si l'un de nous doit rester ici, on tirera au sort ! D'ailleurs, j'ai une autre idée !

— Dis vite !

— On pourrait demander à Justin Ronchot de compléter notre équipe. Je crois qu'il serait content et fier de "travailler" avec nous. »

Michel regarda Daniel puis déclara :

« Va pour Justin, mais il est déjà tard, comment le prévenir ?

— C'est facile, je peux aller chez lui à bicyclette, tout de suite, je trouverai bien un prétexte, pour sa mère !

— Bon, alors donne-lui rendez-vous pour dix heures, ce soir, ici, enfin, devant la barrière ; mais surtout, motus, hein, qu'il ne dise rien à personne, même pas à son frère ! »

Lorsque Martine eut quitté Finiterre, les deux cousins se retrouvèrent seuls.

« Cette affaire est trop grave pour que nous gardions nos découvertes pour nous, déclara Michel. Lorsque nous aurons vérifié que nous ne jouons pas Don Quichotte à l'attaque des moulins, et lorsque nous saurons ce que mijotent nos trois compères, nous avertirons M. Ramin... Pas plus tard que demain matin ! C'est tout ! »

*
* *

Lorsque Martine revint, elle semblait très excitée. Les garçons l'entourèrent aussitôt.

« Alors ? Raconte ! Il peut venir ?

— Oui, bien sûr, il est même très content ! Mais il y a autre chose ! Robert... »

Elle avait pédalé si fort pour revenir plus vite qu'elle dut s'arrêter, par manque de souffle.

« Quoi, Robert ? tu l'as vu ?

— Oui, il se lavait les mains, dans la cour, près de la pompe. J'ai vu son avant-bras gauche, *il a un tatouage* !

— Ça n'a rien d'extraordinaire, tu sais, pour les gens de son milieu... » affirma Michel.

Martine haussa les épaules et ajouta :

« Une rose bleue tatouée... tu ne trouves pas ça extraordinaire, toi ?

— Une rose bleue ! » s'exclamèrent ensemble les deux garçons.

Martine savoura comme il convenait leur étonnement et l'importance de son information.

« Le stand s'appelle *La Rose bleue* ! On nous a fait une histoire pour une rose bleue en plumes, et maintenant l'un de nos suspects...

— L'autre aussi ! s'écria Daniel. Le rouquin a un tatouage, je suis sûr que c'est une rose ! La tige dépassait du poignet de sa chemise, hier, au stand de tir ! »

Michel et Martine apprécièrent l'importance de cette certitude.

125

« Raison de plus, dans ce cas, pour faire vite ! On ne se tatoue pas comme ça pour un motif sans importance ! C'est un signe de reconnaissance, peut-être une société secrète ! »

*
* *

Impatients d'agir, les trois amis avaient gagné leurs chambres de bonne heure ce soir-là, prétextant la fatigue. Mme Deville avait vu là une sage décision. Martine et les garçons avaient éprouvé un peu de gêne à tromper ainsi la brave dame, mais ils ne pouvaient pas non plus risquer de l'inquiéter, en lui avouant ce qu'ils allaient faire.

Il n'était pas encore dix heures, lorsque les garçons sortirent de leur chambre pour traverser le jardin. Une ombre remua au-dehors.

« C'est toi, Justin ? » demanda Michel à voix basse.

Le jeune garçon n'était pas moins impatient qu'eux et il avoua qu'il les attendait déjà depuis un bon quart d'heure.

« Papa n'était pas content, aujourd'hui ! ajouta-t-il. Alex n'est pas revenu de la journée à la maison, sauf pour souper, ce soir ! Il a emmené Robert avec lui, pour lui faire visiter le tunnel !

— C'est pour ça que ton père n'était pas content ? demanda Michel.

— Ben oui ! Justement ! Alex est de service, cette nuit, au chantier. D'habitude, quand il est de nuit, il dort l'après-midi. Mais là, bernique... Et papa a toujours peur, à cause de sa tête, à Alex. Quand il ne dort pas son compte, il est trop nerveux, vous comprenez ? »

L'arrivée de Martine, retardée par les précautions qu'elle avait dû prendre pour sortir de la maison sans alerter sa mère, interrompit les confidences de Justin.

« Bon, et si nous formions les équipes ? proposa Daniel. On tire au sort ? »

Le tirage au sort, dans l'obscurité, se révéla difficile. Martine tira les garçons d'embarras en procédant à la désignation au moyen d'un « Amstramgram pic et pic et colégram » qui les réjouit tous.

Ce fut ainsi que Martine et Daniel firent équipe ensemble et se virent confier la visite de la grange, cependant que Michel et Justin, ensemble, iraient surveiller l'estaminet.

Avant de se séparer, Martine demanda :

« Vous avez vos lampes ?

— J'en ai une aussi ! déclara Justin, fier d'avoir pensé à ce détail.

— Pas d'imprudence, hein ! conseilla Michel. On se retrouve ici, devant la barrière, dès que l'on aura découvert quelque chose de précis.

— En route ! conclut Martine. A tout à l'heure ! »

XI

Elle partit avec Daniel en direction de la grange des Ronchot. Michel et Justin longèrent la route pour aller se poster près de l'estaminet.

« Le Robert, il est rentré les pieds pleins de ciment, tout à l'heure ! expliqua Justin.

— Du mortier, tu veux dire ! objecta Michel. C'est en visitant le tunnel, sans doute ?

— Mais non, du ciment en poudre ! Plein ses chaussures, comme s'il avait manié un sac crevé... La mère l'a pas laissé entrer comme ça, dans sa cuisine ! L'a fallu qu'il se "décrotte" dans la cour ! »

Michel écoutait distraitement les explications de Justin. Ils avançaient tous deux sur le bas-côté de la route. Les lueurs de la ducasse illuminaient le ciel, devant eux.

« Accourez, braves gens ! Nous avons trouvé ! » →

Et bientôt la ruine de l'estaminet se silhouetta sur ce fond plus clair.

« Maintenant, on se tait et on approche en se camouflant, expliqua Michel.

— Tu crois vraiment qu'il y a quelqu'un à cette heure-ci ?

— Peut-être pas, mais on va le savoir ! »

La lune n'était pas encore levée, et le contraste entre la partie éclairée du ciel et celle qui ne l'était pas faisait paraître les alentours plus sombres. Michel décida de quitter la route, de gravir le talus et de progresser dans la plaine.

« Nous risquerons moins de rencontrer les douaniers ! dit-il.

— On pourrait toujours leur dire que nous allons à la ducasse ! » répliqua Justin à mi-voix.

Mais brusquement, ils s'arrêtèrent. Ensemble, ils venaient d'entendre le même bruit : un cliquetis léger, régulier, qui se répétait à intervalles très courts.

Les deux garçons cherchèrent à deviner l'origine du bruit tout proche maintenant, en direction de l'estaminet.

Le cliquetis n'avait rien de métallique. Michel chercha désespérément, immobile dans le noir, à savoir d'où il pouvait provenir. Ce fut Justin qui trouva le premier. A force de chercher, une image s'associa bientôt au son : l'image de maçons déplaçant des briques ou des tuiles. Le heurt clair de la terre cuite donnait ce cliquetis. C'était donc bien dans les ruines que quelqu'un déplaçait des briques ou des tuiles.

Le cœur battant, les deux garçons s'arrêtèrent pour écouter. Mais seul le cliquetis continuait, léger, sur un rythme lent, comme si celui ou ceux qui maniaient les briques, s'efforçaient de ne pas attirer l'attention sur leur trafic.

« On va voir ? chuchota Justin.

— En rampant, c'est possible ! »

Ils s'allongèrent dans l'herbe, sur la crête du talus et commencèrent à ramper comme des vétérans de commandos. Ils s'arrêtaient de temps en temps pour écouter. Le bruissement de l'herbe gênait l'ouïe. Michel se trouvait en tête et il essayait, lors des arrêts, de distinguer les détails de la ruine. Mais en dehors de la silhouette squelettique du mur de façade, rien de spécial n'attira son attention. Il ralentit sa progression, craignant d'approcher trop près et de se heurter aux mystérieux travailleurs nocturnes.

Brusquement, le bruit cessa. Michel retint son souffle mais en vain. Aucun bruit ne lui parvint, en dehors des flonflons très lointains et très atténués de l'orchestre du bal, sur la place de Dunes.

Michel s'efforça de deviner le genre de travail auquel se livraient les mystérieux occupants de la ruine. Venaient-ils de reboucher un passage ? Ou, au contraire, d'en déboucher un ?

Dans le premier cas, ils allaient s'éloigner, leur étrange besogne accomplie. Dans le second, s'ils venaient justement de libérer une ouverture des briques qui l'obstruaient — le soupirail, peut-être ? — ils devaient se trouver à l'intérieur de la cave. Pourtant, Michel se dit que cette cave semblait avoir été comblée avec les décombres de la maison ! C'était du moins l'impression qu'il en avait eue lors de sa dernière visite.

Justin s'impatienta ; il se rapprocha sans bruit de Michel et murmura :

« Alors ? On y va ? »

Michel se remit à ramper, suivi par Justin, jusqu'à ce qu'il sentît, sous ses mains, les premiers morceaux de briques, dans l'herbe. Les deux garçons s'arrêtèrent,

130

cherchant à s'orienter. L'hypothèse la plus vraisemblable, quant à l'origine du bruit, donnait évidemment le soupirail.

Ils décrivirent un arc de cercle, assez large, pour atteindre l'arrière de la maison. Ils durent cesser de ramper pour s'avancer à croupetons, parmi les décombres épars. Lorsqu'ils atteignirent le soupirail, ce fut pour constater que celui-ci était libre de tout obstacle !

« Ils sont là-dedans ! » chuchota Justin à l'oreille de Michel.

Celui-ci n'aurait pas juré que la voix du jeune Marindunois ne trahissait pas une émotion compréhensible. Lui-même, d'ailleurs, éprouvait cette sorte d'appréhension qui saisit les plus courageux avant l'action. Ce fut pire encore lorsqu'un bruit de voix leur parvint ! Mais le bruit était si lointain qu'ils se demandèrent s'il ne venait pas de l'extérieur. La cave ne pouvait pas être assez grande pour que le son des voix de gens qui y parlaient parût aussi éloigné.

Michel se risqua à se pencher et à tâtonner dans le vide. Sa main rencontra la première marche d'une échelle de meunier ou d'un escabeau, appuyé contre la base de l'ouverture.

« Pas la peine de descendre à deux ! expliqua-t-il à voix basse. J'y vais. Fais le guet, toi. Si je siffle, sauve-toi et va prévenir Daniel, dis-lui que je suis tombé dans un piège dans la cave de l'estaminet.

— Et si je vois quelqu'un arriver ? Qu'est-ce qu'il faut que je fasse ? »

Michel ne réfléchit pas longtemps.

« Rien, de toute manière, il serait trop tard. »

Il s'engagea dans l'ouverture et descendit les marches. Lorsqu'il sentit sous ses pieds le sol de la cave, il s'adossa au mur en essayant de s'orienter. Dans l'igno-

rance où il se trouvait de la disposition des lieux et
surtout de l'endroit où les mystérieux occupants discutaient, il se contenta de tamiser la lumière de sa lampe
entre ses doigts et ne se permit qu'une seule inspection.
La cave était vide. mais, au fond, il découvrit l'amorce
de l'ancien escalier bouché par des décombres empilés
régulièrement. Tout à côté, une ouverture irrégulière
devait communiquer avec une seconde cave.

« Pas moyen de se cacher, si les autres revenaient par
ici », réfléchit Michel en éprouvant une impression très
désagréable dans le dos.

Mais il décida que son expédition serait inutile s'il
n'allait pas au moins jusqu'à l'ouverture, même sans
allumer.

Il s'y rendit à tâtons.

A sa grande surprise, lorsqu'il s'encadra dans l'ouverture, ses mains rencontrèrent, à gauche comme à droite,
un mur ! Il n'entrait donc pas dans une seconde cave,

mais dans un couloir ! Ce qu'il vérifia d'un éclair de sa lampe.

Mais sa surprise fut plus vive encore lorsque, après s'être de nouveau orienté, il se rendit compte qu'en fait la longueur du couloir et les dimensions de la première cave étaient disproportionnées eu égard à la superficie de la maison. Il comprit qu'une seule solution s'imposait : le couloir devait se prolonger à l'extérieur de la maison... *sous la route* !

L'extravagance de cette découverte plongea Michel dans une profonde perplexité. Dans l'état de surexcitation où le plaçait sa situation, son esprit réagissait moins facilement qu'en temps normal. Pourtant, après un effort de réflexion, il finit par comprendre. S'il ne se trompait pas grossièrement sur la direction, le couloir devait aboutir à la pompe à essence... *sous la pompe à essence*, du moins, donc à la fosse-citerne qu'ils avaient aperçue l'après-midi !

Fort de cette conclusion, il faillit rebrousser chemin pour mettre Justin au courant, mais il jugea que c'était inutile. D'ailleurs, une foule de questions se pressaient dans son esprit : quelle nécessité avait pu pousser le propriétaire du café à relier sa cave à la citerne d'essence ? En était-il de même pour toutes les pompes en service ?

Mais, une nouvelle question, plus délicate, chassa bientôt toutes les autres : comment ceux qui se trouvaient en ce moment dans la cave de l'établissement avaient-ils eu connaissance de cette communication et pourquoi l'utilisaient-ils ? A quelles fins, surtout ?

« On ne se cache pas comme ils le font, pour se livrer à une activité légale », pensa-t-il.

Mais il n'acheva pas cette pensée. Presque malgré lui, il écouta le bruit des voix qui lui parvenait plus net et il s'avança, prudemment, à la découverte. Dans un état de tension extrême, il se tint prêt à faire demi-tour et à s'enfuir au moindre signe du retour des occupants.

Il avançait pas à pas, et le couloir lui parut interminablement long. Tout à coup, il heurta légèrement une surface rugueuse et s'arrêta pile. Il n'était pas possible que le couloir ne conduisît nulle part. Ou alors, peut-être avait-il manqué une autre ouverture, latérale, celle-là... Mais, en tâtonnant le long de la paroi de ciment, il se rendit compte qu'elle était légèrement cylindrique : ce ne pouvait être que la cuve à essence !

Il découvrit, presque en même temps, qu'une galerie la longeait des deux côtés. Il choisit au hasard et suivit la paroi de la cuve vers la droite. Le murmure des voix était cette fois relativement proche : il imagina que les occupants devaient se trouver dans la cuve.

Le cœur battant, serré d'une soudaine angoisse à l'idée de découvrir enfin qui étaient les amateurs de rose et ce qu'ils manigançaient, Michel continua sa lente progression dans l'obscurité.

*
* *

Pendant ce temps, Daniel et Martine avaient atteint la grange des Ronchot.

A cinquante mètres de là, les projecteurs du chantier éclairaient la barricade des barbelés. A plusieurs reprises, les deux jeunes gens crurent apercevoir la silhouette d'un gardien, accompagné d'un chien, qui patrouillait le long de la clôture.

Un moment, l'idée qu'à quelques centaines de mètres de là Alex Ronchot veillait sur le système de pompage du puits égaya Daniel.

« Il est bien loin de se douter que sa grange intéresse nos hommes ! dit-il à Martine.

— La grange ne sert peut-être que de point de repère sur le plan, objecta celle-ci.

— En fait, elle est bien située, pour quelqu'un qui s'intéresserait au tunnel. On peut observer de là le manège du gardien et profiter de son éloignement pour franchir la barrière de barbelés !

— Tu crois que c'est si facile ?

— Peut-être pas, mais j'ai lu que des commandos les franchissaient en glissant une planche dans la barricade et en passant dessus, en rampant, bien entendu. »

Ils se turent. Ils venaient d'arriver à une dizaine de mètres de la grange et il leur fallait s'orienter pour en trouver la porte.

« Reste là, Martine, je vais voir ! »

Et Daniel partit en rampant vers la masse noire qui se découpait sur le mur de lumière du chantier proche. Il parvint devant la porte pour constater qu'une difficulté supplémentaire s'ajoutait à leur expédition : la porte était située du côté du chantier et de ses lumières ; en l'ouvrant, on risquait peut-être d'attirer l'attention du gardien. Le rectangle d'ombre ainsi créé pouvait lui paraître suspect !

Mais Daniel découvrit avec une surprise qui lui fut agréable que la porte était légèrement entrebâillée. Sans doute, en raison de sa vétusté, ne pouvait-on plus la fermer. Sans hésiter, après avoir prêté une oreille attentive aux bruits possibles, Daniel se glissa vers l'ouverture et la franchit.

A peine eut-il engagé le torse entre la porte et le chambranle, qu'une étoffe rugueuse s'abattit sur sa tête. Il se débattit de toutes ses forces pour se libérer de cette entrave. Son mystérieux assaillant restait silencieux, mais l'étoffe tenait bon. Pourtant, essoufflé par ses

efforts désordonnés et le manque d'air, Daniel se résigna. Il attendit, un peu effrayé, mécontent de lui-même, furieux de s'être montré aussi naïf, ce qui n'allait pas manquer de se produire.

Mais rien ne vint. Etonné, Daniel tenta de se dégager, en douceur cette fois, de ce qui l'emprisonnait. Il y parvint plus facilement qu'il ne l'espérait et, tous muscles tendus, attendit l'attaque de son agresseur.

Et presque aussitôt, il faillit éclater de rire ! Encore enfiévré de la lutte aveugle qu'il venait de soutenir, il se rendit compte qu'il n'y avait pas d'agresseur ! L'étoffe dans laquelle il s'était empêtré lui-même avait dû être placée là pour camoufler l'ouverture, et, dans sa précipitation, il l'avait fait tomber sur lui. Ses gestes violents avaient fait le reste.

Cette découverte, outre l'intense soulagement qu'elle lui procura, l'amena à comprendre que la grange était vide, pour l'instant du moins ! Il se hâta d'aller rechercher Martine. Lorsqu'il lui expliqua ce qui lui était arrivé, la jeune fille s'amusa franchement.

Ils pénétrèrent ensemble dans la grange et Daniel remit tant bien que mal la couverture en place. Malgré cette précaution, il n'alluma sa lampe qu'en dissimulant la lentille dans sa main.

L'aire de la grange était encore tapissée d'une couche de vieux foin qui crissait doucement sous leurs pas. En dehors de la couverture qui garnissait sa porte d'une manière assez inattendue, le bâtiment ne semblait rien receler d'extraordinaire.

Ils fouillèrent pourtant consciencieusement la couche de foin, sans autre résultat que de soulever un nuage de poussière qui les fit éternuer.

« Pour une enquête discrète, il y a mieux ! » constata à mi-voix Daniel.

Tout à coup, Martine qui tâtonnait dans le foin, dans un des coins de la grange opposé à l'entrée, poussa une exclamation étouffée.

« Daniel, viens voir ! »

Le garçon accourut et éclaira l'angle de la grange. Une musette de forte toile kaki, du type utilisé dans l'armée britannique, était dissimulée sous le foin. Daniel l'ouvrit avec précaution. Elle contenait un tube de crème à raser, une boîte à rasoir, à côté d'un paquet de biscuits, d'une plaque de chocolat et d'un étui de matière plastique. Dans l'étui, une pince à long bec, d'un modèle peu courant, voisinait avec une boîte de carton sur le couvercle de laquelle Daniel lut une inscription en langue anglaise : « *Detonator* ».

« Des détonateurs ! s'exclama-t-il. Plus de doute, Martine, c'est un nécessaire pour parfait saboteur que tu viens de découvrir ! »

Mais la jeune fille resta sceptique.

« Tu crois que des détonateurs de cette taille suffiraient à saboter quelque chose ? Pas le tunnel, tout de même ? »

Daniel sourit.

« Bien entendu, mais un détonateur, placé au milieu d'une charge d'explosif, c'est autre chose ! »

Ce fut seulement à ce moment-là qu'ils se rendirent compte de l'importance exacte de leur découverte.

« Mais alors ! Il faut vite prévenir quelqu'un... la police ou M. Ramin ! C'est que le tunnel est vraiment visé !

— Tu as raison, Martine... mais... »

Daniel s'interrompit. Au fond de la musette, il venait de découvrir un cordon noir, du diamètre d'un gros fil électrique, replié plusieurs fois sur lui-même comme un écheveau.

« Ou je me trompe fort, ou il s'agit d'un cordeau Bickford. »

Martine demanda ce que c'était.

« Tu sais bien, on trouve ça dans tous les récits d'aventures ! C'est la mèche qui permet à celui qui s'en sert de retarder l'explosion. On allume, on se sauve et quelques minutes plus tard, selon la longueur du cordeau, la charge explose ! »

Machinalement Daniel continuait à fouiller la musette. Dans une petite poche latérale il découvrit un rouleau, comparable à ces bandes qui servent à protéger le guidon des bicyclettes. Le ruban était noir et brillant.

« Tu as vu, Daniel, sur le cordeau ? Il y a un morceau de ruban qui l'entoure, à peu près à la moitié. »

Le garçon curieux décolla la bande avec précaution. Elle dissimulait un petit cylindre de laiton, formé de deux parties vissées.

« Ce doit être un raccordement », murmura-t-il.

Il dévissa les deux moitiés du petit cylindre. Il contenait une matière noire, mate, qui semblait coulée à l'intérieur. Daniel remit tout en place et rangea la musette à l'endroit où il l'avait trouvée.

« Et si nous l'emportions ? proposa Martine. Ça priverait les saboteurs de leur outillage.

— Bonne idée... avant de rejoindre les autres ! fouillons encore une fois le foin. Il y a peut-être autre chose ! »

En camouflant de leur mieux la lumière, Martine et Daniel entreprirent une fouille méthodique de la grange.

*
* *

Pendant que, dans l'ancienne grange des Ronchot, Daniel et Martine faisaient les découvertes que l'on sait, Michel, seul dans la cave de l'« Estaminet des Chasseurs », n'était pas au bout de ses surprises. Longeant la paroi de ciment de ce qui avait été une citerne à essence, il s'approchait le plus doucement possible de l'endroit d'où semblait provenir le murmure des voix.

Il n'osait plus allumer sa lampe, pour ne pas révéler sa présence. Il n'avançait plus qu'en tâtonnant, lentement, pour éviter jusqu'au bruit du frôlement de la manche de son blouson contre la surface rugueuse du ciment.

Brusquement, les voix lui parvinrent plus distinctes et, presque immédiatement, sa main gauche ne rencontra que le vide ! Michel s'arrêta, le cœur battant, l'esprit un peu affolé par l'imminence de la décision à prendre.

Mais soudain, il retira sa main comme s'il venait de toucher un fer rouge. En fait il n'avait fait qu'effleurer une étoffe grossière, toile à bâche ou couverture. Il lui fallut un instant pour comprendre que ce devait être le camouflage d'une ouverture dans la paroi de la citerne. Il n'osa pas se risquer à la soulever.

D'ailleurs, le bruit des voix était très net maintenant. Il parvint même à suivre la conversation assez facilement. Plusieurs fois, il fut terriblement tenté de soulever un coin de l'étoffe. Mais c'était trop imprudent.

La discussion offrait d'ailleurs un caractère étrange. Trois personnages discutaient ensemble ; et pourtant, parfois, deux d'entre eux s'exprimaient dans une langue étrangère. Michel finit par reconnaître que c'était en anglais. Sans doute les interlocuteurs employaient-ils beaucoup le *slang* — l'argot anglais — car il ne parvint pas à comprendre tout ce qu'ils disaient.

« Pas difficile... Comme ça ! Vous voir ? Vous prend la boîte, hop, enlever le bouchon, vous voir ? *You take the lighter*[1], comment dire vous ? L'allumeur, comme ça, pousser et hop, *ready*[2] ! C'est prêt !

— Nous déjà faire une fois, Alex, sur le fût, *remenber*[3] ! »

Michel fut si éberlué d'apprendre que le fût des Ronchot avait été percé par un engin comme celui dont il entendait expliquer le maniement, qu'il crut rêver. Il imagina la scène ! Le géant roux, sans doute, expliquait dans son français rudimentaire le maniement d'un engin explosif. Robert Stone servait d'interprète...

Mais c'était surtout la certitude qu'Alex était *le fameux troisième homme* qui bouleversait Michel !

Un instant, cette certitude se heurta à une impossibilité : Justin avait affirmé que son frère était de service de nuit, à la station de pompage des eaux du chantier !

1. « Vous prenez l'allumeur. »

2. « Prêt. »

3. « Vous vous souvenez. »

A l'intérieur de la citerne, la discussion continuait. Et Michel reconnut la voix peu agréable d'Alex Ronchot.

« Minute ! Robert était dans le génie, lui, il a l'habitude ! Et si moi, je fais une fausse manœuvre, hein, et que ça explose ? »

Un ricanement discret répondit à sa question.

« *No danger !* Pas explose ! *Only...* seulement chaleur, beaucoup chaleur... Plus électricité, tout tunnel la nuit ! Nous agir ! »

Michel eut l'impression qu'il venait d'être pris dans un engrenage infernal. Daniel et lui avaient commis une faute en acceptant que Martine demande à Justin Ronchot de les aider !

Un drame était sur le point de se jouer et lui, Michel, se trouvait prisonnier d'un dilemme.

Il fallait avertir M. Ramin ou les gardiens du tunnel qu'un sabotage se préparait contre le tunnel. La police arrêterait Robert Stone, le géant roux et... Alex Ronchot ! Justin apprendrait que son frère qu'il admirait tant était un malfaiteur !

Pis encore, Justin aurait aidé à faire arrêter son propre frère !

La position de Martine n'était d'ailleurs pas plus agréable, se dit Michel, en raison de l'affection qui unissait M. Deville et Jules Ronchot !

Une seule solution restait au jeune garçon : ne rien dire pour le moment, mais s'efforcer de contrecarrer de toutes ses forces les agissements du trio ! Mais s'il échouait, si le tunnel était saboté ? Etait-il certain, même dans le cas contraire, même s'il parvenait — comment ? — à empêcher le trio d'agir, que Justin ne découvrirait pas le triste rôle de son frère.

Michel se souvint à ce moment-là des paroles de M. Ramin lors de leur visite du tunnel : Alex Ronchot, après avoir été un farouche adversaire du tunnel, avait récemment accepté d'y travailler ! Cette conversion soudaine s'expliquait trop bien maintenant ! C'était pour faciliter le travail des saboteurs !

Le jeune garçon n'y tint plus. Il souleva le plus doucement qu'il put un coin de l'étoffe qui fermait l'ouverture et risqua un œil. Il n'aperçut tout d'abord qu'une lampe électrique, posée sur le sol cimenté de la cuve. Dans son faisceau brillait un objet noir que Michel reconnut aussitôt. C'était une boîte identique à celle qu'il avait trouvée dans la mer, sur la plage, le jour de leur premier bain !

« Donc les douaniers ne se sont pas trompés ! pensa-t-il. Il y a vraiment eu une barque suspecte ! »

Une barque qui avait apporté cette étrange marchandise ! Le débarquement avait dû être précipité puisqu'une boîte était tombée à la mer...

Michel n'aperçut qu'Alex éclairé par le halo de la lampe. Une sorte de cloison qui lui parut constituée par des caisses lui masquait les deux autres interlocuteurs.

« Bon, admettons ! convint Alex. Et quand faudrait-il que je la place, c'te boîte ?

— Tout de souite. Nous n'avons plus très beaucoup de temps, Alex, intervint celui qui devait être Robert Stone. Ces petites stioupides qui ont tiré la rose bleue, pas compris, je crois ! C'était une grosse chance que petite Justin raconter la boîte trouvée par les autres sur la plage ! Nous pas pouvoir risquer autre chance ! Agir vite, cette nouit ! Tout de souite ! »

Michel allait de surprise en surprise. Ainsi c'était Justin, qui, sans penser à mal, avait mis son frère au courant de leur découverte. Robert Stone n'avait eu qu'à aller rechercher la boîte signalée par la touffe d'herbe... Peut-être aussi avait-il vu lui-même Michel dissimuler l'objet dans le sable !

Les enfants avaient croisé Robert Stone en revenant à Finiterre, après leur premier bain : il pouvait les avoir surveillés.

Michel découvrit aussitôt l'impossibilité d'une telle hypothèse. Robert Stone n'était pas sur la plage le jour où il avait enterré la boîte... mais l'homme à la pipe s'y trouvait, lui... l'homme à la cotte kaki... *C'était donc lui le troisième homme !*

Michel n'eut pas le temps de pousser plus avant ses réflexions au sujet de cette découverte. Alex reprenait :

« Et si je me fais prendre ? Hein ? C'est déjà beau que j'aie fait visiter le chantier à Robert ! »

Les deux Anglais échangèrent rapidement quelques mots, sur un ton furieux. Puis la voix du complice de Robert Stone — celle du géant roux sans doute, à moins que ce ne fût celle de l'homme à la pipe — expliqua sèchement :

« Pas de danger ! Vous poser *the box*... la boîte ! Bon, *magnets*, euh... les aimants la tenir sur la plaque. Alors vous pousser le bouton et partir. Une demi-heure après, boum ! Fini loumière ! Personne comprendre ! Nous agir vite ! »

Alex grommela quelques paroles dont le sens fut perdu pour Michel. Mais la riposte ne tarda pas, menaçante :

« Vous accepter ! Vous content reprendre votre champ si le tounel finite ! Vous dire "Autres doivent payer !" Alors ? Nous faire "payer" autres. Vous va jusqu'au bout ! Trop savoir maintenant ! La *Blue Rose* jamais pardonne, compris ? »

Michel imagina le combat qui se livrait dans la pauvre tête d'Alex, pris entre deux craintes. Ce combat dura peu d'ailleurs.

« Bon, je vais jusqu'au bout ! murmura l'aîné des Ronchot d'une voix blanche. Mais c'est pas défendu de réfléchir, non ?

— Mauvais, réfléchir ! Nous, réfléchir pour vous ! Souffit ! Compris ?

— Vous fâchez pas, Ronald ! J'ai compris ! Expliquez-moi encore une fois. Je voudrais pas risquer tout ça pour rien !

— *Good boy !* » s'exclama celui que l'aîné des Ronchot venait d'appeler Ronald. «*All right !* Vous regarde. *No danger* ; pas avant vous pousse le bouton. Tourner, avant, un tour... Comme ça, *safety-catch*, comment dire, Robert ?

— Sûreté... blocage de sécurité... »

Alex répéta docilement les explications et le nommé Ronald répéta :

« Nous sortir tout de souite, vous devant, placer la boîte et revenir. Nous attendre à la... comment dire ? A la pouits, compris ?

— Compris !

— *We are going first...*[1] » déclara Ronald à l'inten-
:ion de Robert sans doute. Mais la fin de la phrase ne
parvint pas clairement à Michel.

Celui-ci comprit que les trois hommes allaient sortir
de leur cachette. Il réfléchit rapidement ; il y avait une
chance sur deux pour qu'ils sortent en longeant la cuve
du côté où il se trouvait. Il était trop tard pour espérer
atteindre le soupirail avant eux, surtout qu'il ne fallait
pas songer à allumer la lampe.

Pendant quelques interminables minutes, Michel resta
plaqué contre la paroi de la cuve, guettant la lumière qui
guiderait la sortie des trois hommes !

Et brusquement, un faisceau lumineux jaillit de son
côté... La chance était contre lui ! Eperdu, il recula en
silence jusqu'à ce qu'il parvînt à la hauteur du couloir
qui conduisait vers la sortie. Il n'hésita qu'une seconde
et... continua à tourner le long de la paroi de l'autre côté
de la cuve !

Michel se retrouva ainsi à son point de départ
c'est-à-dire devant l'ouverture qui permettait de s'introduire à l'intérieur de la cuve. Il perçut nettement les pas
des autres, les frôlements contre la paroi. Il eut l'impression que les trois complices avançaient lentement.
Hésitaient-ils, malgré leur lampe ? Ou était-ce à cause
d'un chargement encombrant ? Pour saboter un tunnel,
il devait falloir un matériel important...

Le garçon prêta l'oreille, encore un peu inquiet : si
les autres avaient oublié quelque chose, s'ils faisaient
demi-tour, ou même s'il leur fallait un second voyage,
pour sortir leur matériel de la cuve ?

Mais les bruits allèrent en s'atténuant et bientôt
Michel respira plus librement. Il découvrit que des
gouttelettes de sueur perlaient à son front.

1. « Nous allons d'abord... »

Son soulagement fut de courte durée. Une pensée traversa son esprit : *Et Justin, qui attendait dehors ?*

Il imagina aussitôt la catastrophe : Justin, trompé par l'obscurité, risquait de prendre le premier des hommes qui sortirait du soupirail pour lui, Michel !

Un instant abasourdi par cette nouvelle menace, Michel réfléchit rapidement. Il était trop tard pour prévenir le cadet des Ronchot ! Evidemment, la présence d'Alex avec les saboteurs protégerait peut-être Justin contre la fureur des Anglais. C'est qu'ils ne devaient pas tenir à laisser derrière eux trop de témoins. Le ton lourd de menace sur lequel le nommé Ronald avait parlé à Alex retentissait encore aux oreilles de Michel : « *La* Blue Rose *jamais pardonne !* »

Sans trop savoir comment il pourrait intervenir, Michel se précipita en direction du soupirail. Le grincement des marches de l'escalier de fortune qui conduisait à l'ouverture l'obligea à plus de prudence. Il écouta attentivement, prêt à bondir pour venir en aide à Justin si le besoin s'en faisait sentir, pour créer une diversion... mais rien ne se produisit. Il lui parut évident que, si Justin avait été découvert, les exclamations de surprise des hommes, les explications entre Alex et son jeune frère lui seraient parvenues.

Tout à coup, son cœur s'affola ! Il venait d'entendre de nouveau le cliquetis caractéristique des briques ! Les autres refermaient le passage ! Il allait se retrouver prisonnier !

Mais son émoi dura peu. Justin, de toute façon, le tirerait de là ! En découvrant que les trois hommes s'éloignaient de l'estaminet, il aurait l'idée de venir voir ce qui était arrivé à Michel. Une chose semblait certaine, en tout cas : c'était que ni Alex ni les deux Anglais n'avaient découvert Justin !

146

Rassuré sur ce point, et pour donner aux trois hommes le temps de prendre du champ et ne pas risquer de les alerter par des bruits intempestifs, Michel décida de ne rien tenter avant quelques minutes. Pour tromper son impatience, il décida de revenir jusqu'à l'entrée de la cuve, de visiter celle-ci, et de voir si les saboteurs n'avaient laissé aucun indice susceptible de lui fournir un renseignement sur la façon dont ils envisageaient de saboter le tunnel.

Le temps pressait, maintenant. Michel fit une rapide évaluation : il faudrait une demi-heure à Alex pour placer l'engin destiné à détruire le réseau électrique du chantier. Les autres agiraient aussitôt. En supposant qu'ils utilisent un engin à retardement, ce qui semblait logique, il restait une heure, deux au maximum, avec beaucoup de chance, pour pouvoir encore intervenir !

Il pénétra dans la cuve et alluma sa lampe. A l'exception des caisses, qui se révélèrent vides, elle ne renfermait plus qu'un cylindre métallique, peint en kaki,

et long d'un demi-mètre environ. Il était vide, lui aussi, et ouvert, sur le sol.

En s'approchant pour l'examiner, Michel mit les pieds dans un tas de poussière grise, très fine, douce au toucher...

« Du ciment ! » se dit-il.

Les paroles de Justin, affirmant que Robert était revenu à la ferme, les chaussures saupoudrées de ciment... « comme s'il avait manié un sac crevé », lui revinrent à l'esprit. C'était donc ça !

Il retourna le cylindre et découvrit, à côté de chiffres dont la signification lui échappa, une inscription très lisible : *Plastic*.

Un instant, Michel fut incapable de faire le rapprochement entre la présence du ciment répandu sur le sol et ce récipient ayant contenu un puissant explosif !

Le mot évoqua pour lui des souvenirs. Son père lui avait expliqué en quoi consistait ce nouvel explosif — nouveau à l'époque de la Résistance — qui était parachuté par les avions alliés aux maquisards, dans des récipients de cette forme, appelés *containers*. Le plastic était un explosif facile à manipuler, qui pouvait même brûler sans danger. Mais il suffisait d'une explosion dans la masse pour le faire détoner puissamment ! Un simple pain de la taille d'une demi-livre de beurre, posé sans autre précaution contre un rail, suffisait à le tordre comme un simple fil de fer !

Michel frémit en imaginant l'emploi que les deux Anglais allaient faire d'une telle quantité d'un explosif aussi puissant !

Ce fut à ce moment-là qu'il comprit pourquoi le ciment était répandu ! Il provenait certainement d'un sac vidé dans lequel on l'avait remplacé par le plastic ! Ce camouflage allait permettre d'introduire la machine infernale à l'intérieur du chantier, comme s'il s'agissait d'un sac d'innocent ciment !

Michel n'attendit pas une minute de plus. Il fallait coûte que coûte empêcher la réalisation du projet criminel. Il fila vers la sortie pour trouver le soupirail barré par une véritable murette de briques empilées. Justin n'avait donc pas tenté de pénétrer dans la cave pour le rejoindre.

Michel se demanda si les trois hommes étaient suffisamment éloignés, compte tenu que leur progression dans la nuit avec leur charge ne devait pas être facile.

Mais avant qu'il n'ait levé la main pour retirer la première brique, la cloison bascula, des briques roulèrent sur les marches et une voix angoissée l'appela.

« Michel ? Tu es là ? »

C'était la voix de Justin.

« Tu n'as pas de mal ? Ils ne t'ont rien fait ? Michel, tu m'entends ?

— Non, sois tranquille... est-ce que tu as vu de quel côté ils sont partis ? »

Il y eut un silence, puis Justin avoua piteusement :

« Heu... non. J'étais caché ! »

Michel, l'esprit en alerte, comprit tout de suite que c'était au fond la meilleure solution à ce qu'il avait craint. Justin ne pouvait rien lui dire quant à la direction prise par les saboteurs, mais du moins, il n'avait pas risqué d'être pris, et, de plus, il n'avait pas aperçu son frère ! Il était encore temps de lui éviter le choc brutal de cette révélation : son frère admiré et aimé, complice de saboteurs sans aveu !

« Ecoute, Justin ! Chargés comme ils le sont, ils ne doivent pas être loin ! Retourne à Finiterre, tout de suite ! Là tu attends Daniel et Martine, tu m'entends ? Il faut que tu ne bouges pas de la barrière pour pouvoir les

149

avertir, dès qu'ils arriveront, que je file les deux saboteurs qui transportent une charge de plastic pour faire sauter le tunnel !

— Pour... faire sauter le tunnel ? Tu-tu ne crois pas que... qu'il faudrait que je... que tu... préviennes quelqu'un, la police, les gendarmes ?

— Pas le temps, mon vieux ! Le temps de courir jusqu'à l'entrée du chantier, d'alerter les gardiens, qui ne me croiront peut-être même pas, les autres peuvent être loin ! Ils auraient peut-être même le temps de faire leur coup ! Sans compter que je ne suis pas absolument sûr ! Va et fais comme je t'ai dit. Préviens Daniel que, si je ne suis pas de retour dans une heure, il doit venir jusqu'à la grange, à tout hasard ! »

Justin, bien malgré lui, reprit le chemin de Finiterre.

« Si seulement j'avais ma bécane, se répétait-il. J'irais bien jusqu'au chantier ! Je pourrais prévenir Alex ! Lui, du moins, il me croirait et il pourrait empêcher les autres... »

Mais, arrivé à Finiterre, il n'y trouva personne. Ni Martine ni Daniel n'étaient revenus.

« Me v'là tout seul, à présent ! maugréa-t-il. Et il faut que j'attende, qu'il dit, Michel ! Il est bon, lui. Comme si c'était agréable, d'attendre ! »

Il s'assit dans l'herbe, à côté de la barrière, et commença son étrange veille.

XII

Dans la grange, Martine et Daniel avaient soigneusement brassé la couche de foin pour la seconde fois. Mais en vain. Elle ne recelait rien d'autre que la musette dont ils avaient inventorié le contenu.

« Assez cherché ! estima Daniel. Tu as la musette ?

— Oui.

— Alors, en route. Si Michel a eu autant de chance que nous, la moisson est bonne. Demain matin, nous préviendrons M. Ramin. Il est loin de se douter que le danger était si proche ! »

Ils éteignirent leur lampe et sortirent l'un derrière l'autre. Avant de s'éloigner, ils jetèrent un coup d'œil au chantier, dont les lumières étaient très visibles.

« On peut y aller ! chuchota Daniel. Tu connais le

chemin, Martine, dans ce noir ? Passe devant, veux-tu ? »

La jeune fille assura qu'elle saurait rejoindre Finiterre par le chemin le plus court. Mais à peine avaient-ils contourné la grange, qu'un bruit sourd, comme celui d'une chute, leur parvint. Daniel estima que ce pouvait être un objet lourd que quelqu'un venait de laisser tomber. Ils se tapirent dans l'herbe, mais un bruit de pas précipités retentit et deux silhouettes surgies de l'ombre bondirent sur eux. Sans un mot, les arrivants immobilisèrent les jeunes gens au sol, avant de les soulever l'un et l'autre pour les emmener dans la grange. Très vite, Martine et Daniel se trouvèrent solidement ficelés, mains au dos, et allongés sur le foin.

Tout s'était passé si brusquement que Daniel éprouva de la difficulté à reprendre ses esprits. Comment, dans la nuit, les autres avaient-ils pu les distinguer si bien ?

« Nous devions nous détacher très visiblement sur les lumières du chantier ! finit-il par se dire. Nous aurions dû sortir en rampant ! »

Une lumière aveuglante l'obligea à fermer les yeux. Il sentit deux mains nerveuses qui lui appliquaient un bâillon.

Pourtant, Daniel, par un effort de sa volonté, parvint à ne pas se laisser dominer par la malchance. Il avait commis une erreur grossière, mais au lieu de se lamenter, il fallait tendre toutes ses facultés et toutes ses forces pour la réparer si c'était encore possible. Il réussit à rouler sur lui-même et, malgré l'incommodité de la position, il se trouva sur le dos, les mains enfoncées dans le foin.

Il put ainsi apercevoir deux silhouettes d'hommes qui se détachaient sur le halo d'une lampe électrique, soigneusement camouflée, pourtant. Il crut reconnaître Robert Stone, mais l'autre silhouette n'évoquait aucun souvenir précis pour lui. Les deux hommes examinaient le contenu de la musette en discutant à mi-voix, d'une manière qui disait assez qu'ils n'avaient pas de temps à perdre. Dans le silence ambiant, leurs voix portaient pourtant beaucoup plus qu'ils ne semblaient le soupçonner.

« Ils ne se doutent peut-être pas que je comprends l'anglais », se dit Daniel.

Il surprit ainsi plusieurs phrases qui le laissèrent abasourdi. Il imagina un instant qu'il avait mal compris. Mais une seconde fois le nom d'Alex fut prononcé par l'un des deux hommes.

Daniel devina ce qui allait arriver. Le tunnel allait être saboté cette nuit-là, avec la complicité d'Alex Ronchot !

« Et moi qui parlais d'avertir M. Ramin demain matin ! » se dit-il avec une amère ironie.

A mesure que les deux hommes parlaient, il comprit que Robert Stone était le chef de l'expédition et qu'il donnait ses dernières instructions à son subordonné.

« Où est donc passé le grand rouquin ? se demanda-t-il. Pourvu qu'il ne soit rien arrivé à Michel et à Justin. Peut-être parviendront-ils à prévenir quelqu'un ! »

Il surprit le plan des saboteurs. Grâce à la complicité d'Alex, il était simple ! En descendant dans le puits creusé quelque soixante ans plus tôt par les promoteurs du tunnel — puits confié à la surveillance d'Alex, cette nuit-là —, les deux hommes accéderaient ainsi à la galerie d'évacuation des eaux, puis à l'un des puits verticaux qui reliaient la galerie au tunnel proprement dit. Ils n'auraient plus ensuite qu'à profiter de l'obscurité pour mettre en place l'explosif et à fuir.

« L'explosif ? se dit Daniel. Quel explosif ? »

Il imagina la détresse de Justin s'il venait à apprendre

la forfaiture de son frère. Fatigué d'écouter, Daniel laissa reposer sa tête sur le foin. Non loin de lui, Martine remuait faiblement, il entendait crisser le foin sec.

Une sorte d'engourdissement s'empara de lui. Un engourdissement qui n'était pas loin de ressembler à une vague de découragement.

*
* *

Michel, lui, après sa courte conversation avec Justin Ronchot et le départ de celui-ci pour Finiterre, se rendit compte qu'il avait peut-être eu tort de laisser les trois hommes prendre du champ. Les lumières du chantier, si elles constituaient un repère, le gênaient pourtant en faisant paraître plus sombre le reste du paysage.

De plus, tout le temps qu'il avait attendu, par précaution, avant de toucher aux briques qui bouchaient le soupirail, constituait un handicap.

Dans le doute, Michel estima que la solution la plus logique consistait à se diriger vers le chantier. En effet, Alex ne pouvait pas avoir pris une autre direction. Il lui fallait regagner son poste au plus vite — son poste qu'il avait abandonné, sans doute pour venir prendre ses consignes de saboteur !

Mais, pour les deux autres, il lui restait toute la longueur de la barrière de fil de fer barbelé à surveiller !

En désespoir de cause, il décida de piquer droit sur cette clôture, en tournant le dos à la ruine. Lorsqu'il serait arrivé à la zone éclairée par les projecteurs, il la longerait jusqu'à hauteur de la grange des Ronchot, au moins !

L'urgence de la situation lui communiquait une sourde angoisse et il avait quelque peine à garder son sang-froid.

« Si dans un quart d'heure je n'ai pas trouvé mes zèbres, se promit-il, j'alerte les gens du chantier ! »

Michel sentait pourtant que ce n'était peut-être pas la bonne solution. Dans le remue-ménage que ne manquerait pas de déchaîner l'annonce d'un sabotage imminent, les deux Anglais pourraient peut-être agir tout aussi facilement ! Plusieurs fois, sur le fond lumineux du chantier, il eut l'impression d'apercevoir des silhouettes, mais sans certitude. Il avait perdu la notion du temps qui s'était écoulé depuis qu'il avait commencé la poursuite, lorsqu'il arriva à la hauteur de la grange des Ronchot, dont la masse, vaguement éclairée par les lumières du chantier, se dressait à une cinquantaine de mètres à sa droite. Un instant, il crut apercevoir une silhouette sombre, dressée devant la porte, mais son immobilité lui fit deviner qu'il devait s'agir de l'entre-bâillement de l'ouverture.

Michel se demanda où se trouvaient Martine et Daniel, pour le moment. Sur le chemin du retour à Finiterre, sans doute...

Il ne s'attarda pas et reprit sa progression prudente. Il n'avait pas parcouru vingt mètres qu'il tressaillit ! Devant lui, sur sa droite, une silhouette sombre venait de se dresser et elle se hâtait vers le chantier. Dans la lumière diffuse il crut reconnaître le géant roux.

« L'autre est parti en avant ! se dit-il. Cette fois, je ne le laisse pas filer ! Il va me conduire à son complice et m'indiquer leur point de passage dans la clôture ! »

Michel se lança à la poursuite de l'homme qui, penché en avant, continuait à avancer rapidement.

« Dommage que Daniel ne soit pas avec moi ! pensa-t-il. Je ne pourrai faire qu'une chose, les filer et alerter les ouvriers du chantier une fois à l'intérieur ! Il ne faut surtout pas que je tombe entre leurs mains, sinon... »

Le jeune garçon n'acheva pas sa pensée, mais il imagina l'explosion, le tunnel détruit, noyé par la mer et aussi, sans doute, une centaine de vies humaines en danger... *toute l'équipe de nuit du front de taille.*

Michel scrutait la nuit, gêné souvent par la lumière du chantier qu'il évitait pourtant de regarder le plus possible.

De temps à autre, des pensées traversaient son esprit. Le cas d'Alex Ronchot le préoccupait. Qu'il fût le troisième homme le bouleversait.

« Et pourtant, se dit-il, tout tendait à le prouver... Sa rancune contre le tunnel qui le privait des meilleures terres de son patrimoine, le fait qu'il se soit embauché quand même au chantier... — le seul homme de Dunes à y travailler ! — et, maintenant, son amitié pour Robert Stone... ce soldat du génie, expert en explosifs, et qui avait une rose bleue tatouée sur le bras... »

Michel ne quittait pas des yeux la silhouette du géant roux qui avançait cette fois avec plus de précaution. Il s'arrêtait fréquemment, maintenant comme pour scruter la nuit avant de repartir.

« Il a peut-être perdu la trace de son complice ! se dit Michel. Ce serait formidable ! »

Mais il réfléchit bien vite que, au contraire, si les saboteurs n'avaient pas besoin d'être deux pour agir — puisqu'ils avaient l'aide d'Alex — ce contretemps risquait de l'empêcher, lui, Michel, d'intervenir à temps ! Il perdait sans doute de précieuses minutes à filer l'homme alors que son complice était peut-être déjà en place...

Pourtant l'hésitation de l'homme ne dura pas. Au contraire, après un dernier arrêt, il partit en courant. Michel admira l'agilité du géant qui, malgré sa corpulence et son poids, courait avec la facilité d'un athlète.

Michel dut prendre le pas gymnastique derrière lui. L'obscurité relative rendait la course difficile. Il lui arrivait de buter dans une touffe d'herbe ou de perdre de vue celui qu'il poursuivait.

Enfin l'homme ralentit l'allure avant de s'arrêter tout à fait. Michel aperçut, à quelque distance de là, la masse sombre de l'ancien puits, autour duquel luisaient doucement les barbelés en chicane.

Le géant disparut dans l'herbe et Michel devina qu'il s'approchait en rampant. Cette attitude était assez étonnante. Pourquoi prenait-il cette précaution s'il allait retrouver des complices ? Alex Ronchot compris ?

Fallait-il supposer qu'il craignait d'être aperçu par l'un des gardiens qui devait effectuer sa ronde à proximité ? Mais brusquement, quelque chose d'insolite se produisit. Non loin de l'endroit où Michel avait vu le géant disparaître dans l'herbe, il y eut une scène étrange. Une sorte d'agitation silencieuse, de gestes désordonnés, puis plus rien. Michel eut l'impression d'avoir entendu un cri étouffé. Mais sans aucune certitude.

« Qu'est-ce que ça veut dire ? » se demanda-t-il.

Machinalement, il se retourna, essayant de se situer par rapport à la grange des Ronchot. Et cette fois, il ne comprit plus ! Venant de la direction de la grange, deux silhouettes se devinaient nettement, avançant dans sa direction. D'une manière ou d'une autre, il avait laissé deux des saboteurs derrière lui ! Alex et Robert, peut-être ? Ou plus sûrement encore Robert et un quatrième complice, si la supposition qu'il avait faite à propos d'Alex retournant à son poste le plus vite possible était juste.

« Nous qui cherchions un troisième homme, se dit-il, c'est comme les trois mousquetaires... ils étaient quatre ! »

Il se rendit compte qu'à la façon dont les silhouettes, indistinctes en ce qui concernait les détails, à cette distance, étaient pourtant visibles, dans la lumière diffuse que dégageait le chantier, lui-même devait être aperçu de loin !

Michel, pour la première fois depuis longtemps, se sentit complètement dérouté par les événements.

Que s'était-il passé du côté du géant ?

Le plus clair de cette histoire, c'est qu'il était maintenant pris entre deux feux et que sa présence était éventée ! Il ne savait plus quelle conduite adopter !

D'une part, entre la station de pompage surveillée par Alex et lui se trouvait le géant roux. D'autre part, entre la grange et lui survenaient deux des saboteurs !

Justin l'attendait à Finiterre ! Quant à Martine et à Daniel, où pouvaient-ils être ?

Brusquement, Michel eut la certitude qu'il avait commis une faute en n'allant pas voir ce qui se passait dans la grange ! Qui sait si Martine et Daniel n'étaient pas tombés dans un piège tendu par le rouquin ! Ils étaient peut-être prisonniers dans la grange, justement... la grange que les deux saboteurs venaient de quitter !

Michel évalua rapidement la situation. Les trois hommes allaient se retrouver, et grâce à la complicité d'Alex pénétrer facilement dans le chantier. L'explosif camouflé dans un sac de ciment ne serait pas suspect, une fois à l'intérieur. Les gardiens eux-mêmes ne se méfieraient pas et, dans un délai difficile à apprécier, avant la fin de la nuit sans doute, le tunnel sauterait, le travail de ces six derniers mois serait anéanti et il y aurait de nombreuses victimes.

Il n'était plus temps de retourner en arrière, d'aller jusqu'à la grange. Il fallait surveiller le puits, par où les saboteurs comptaient sans doute entrer, et alerter le gardien, dès qu'il serait à proximité. Le gardien était armé et, avec l'aide de son chien, sans doute pourrait-il, sinon tenir en respect les trois hommes, du moins empêcher leur méfait.

Ce fut donc en direction du puits que Michel avança, à quatre pattes, cette fois, pour être moins facilement repérable. De temps à autre il surveillait la progression des deux silhouettes, derrière lui. Elles restaient sensiblement à la même distance. Ou, tout au moins, elles ne gagnaient pas sur lui. Il aurait le temps d'arriver au puits et de se dissimuler d'une manière ou d'une autre en les attendant...

Pour plus de sûreté, maintenant que l'ombre du puits était visible, Michel effectua un large crochet pour arriver par l'autre face, à l'abri de la lumière.

Les deux autres continuaient à progresser, derrière lui, directement vers le puits, en hommes sûrs de leur affaire.

159

XIII

Justin avait fini par s'assoupir, à force de scruter les ténèbres en vain. Il s'éveilla en sursaut, mal à l'aise et les pensées en déroute. Il se dressa d'un bond, si brusquement qu'il chancela et faillit tomber, ce qui ajouta à son désarroi.

Un instant, il imagina que le trio avait pu revenir, ne pas l'apercevoir et aller se coucher. Mais il écarta bientôt cette hypothèse. Dans l'ignorance où il se trouvait du temps pendant lequel il avait somnolé, il examina le ciel, mais en vain. Pourtant, du côté de Dunes, la lueur de la ducasse et, par moments, un écho atténué de l'orchestre du bal, lui permirent de se dire qu'il n'était pas minuit...

Un faisceau lumineux jaillit de son côté. →

Ce renseignement, tout relatif, acheva de l'éveiller. Il bâilla une dernière fois en s'étirant.

« Je serais bien mieux dans mon lit, pour sûr ! se dit-il en se grattant la tête. Qu'est-ce que je fais, maintenant, moi ? Michel m'a bien dit d'attendre les autres... pour leur dire quoi déjà ? Ah ! oui, qu'il y avait une équipe qui portait une charge de... d'un truc à faire sauter le tunnel ! Bon sang ! Il doit être tard ! Et Daniel qui n'est pas là ! Martine non plus ! Je devrais peut-être... »

Mais, malgré son désir de se rendre utile, Justin ne parvenait pas à savoir exactement ce qu'il devrait faire. Il n'appréhendait qu'une chose, c'était d'entendre le bruit d'une explosion !

Brusquement, le jeune garçon prit une décision. Puisque Martine ne revenait pas, il allait aller jusqu'à la grange. C'était bien le diable si, en chemin, il ne rencontrait pas Martine et Daniel ! Peut-être que Michel se trouvait en difficulté ? Qui sait s'il ne serait pas content de l'initiative prise par lui, Justin ? Sans compter qu'à la grange il ne serait plus très loin d'Alex, son frère, et qu'à la rigueur il pourrait le prévenir de ce qui se tramait ! Alex sauverait le tunnel. Justin imagina déjà les articles dans les journaux, sa photographie peut-être.

Il se secoua en riant.

« Il faudrait commencer par y aller, jusqu'à c'te grange », dit-il à haute voix.

Un instant, l'idée de prévenir Mme Deville l'effleura. Mais il l'écarta. Il était inutile d'affoler la brave dame en lui apprenant que sa fille et ses invités étaient lancés dans une aventure.

Il quitta Finiterre et s'enfonça dans la nuit.

*
* *

161

Michel parvint derrière le puits et se dissimula à l'ombre de sa margelle. Le moteur de la pompe d'évacuation des eaux ronronnait doucement.

Le jeune garçon s'efforça de distinguer ce qui se passait en direction de la grange. Où était donc le géant roux, à présent ? Avait-il continué à ramper ? Dans ce cas il devait déjà être arrivé à la cabane d'Alex qui se dressait à dix mètres de là.

Michel décida d'en avoir le cœur net. Il examina sa position et découvrit que, s'il longeait la margelle du grand puits du côté opposé à celui d'où arrivaient les deux hommes, il pourrait s'approcher de la baraque sans craindre d'être vu, et risquer un œil par la fenêtre.

Mais lorsqu'il parvint contre la paroi de bois et qu'il se dressa à demi pour regarder, une surprise de taille l'attendait ! Ce n'était pas le géant roux qui était dans la baraque, mais Alex, assis sur la chaise, devant la petite table, ficelé et bâillonné, attaché par une corde solide à son siège. Il roulait des yeux furibonds, et son visage, déjà peu amène d'ordinaire, exprimait une colère terrible.

Le premier mouvement de Michel, une fois la première surprise passée, fut de se précipiter et d'aller délivrer Alex. Il ne pensait même plus qu'il avait eu la preuve que l'aîné des Ronchot était le complice des saboteurs. Il se dressa tout à fait et, ce faisant, il eut une vision plus large de l'intérieur de la cabane. Ce qu'il découvrit alors le fit se baisser précipitamment.

Alex n'était pas seul, dans le réduit. Son « ami » Robert Stone était accroupi derrière la porte et son attitude n'avait plus rien de cordial.

Interdit, le cœur battant autant de surprise que d'irritation de se trouver devant un nouveau problème incompréhensible, Michel s'approcha de la porte de la baraque, sans bien savoir ce qu'il allait faire. Il vit

162

qu'une vitre du châssis était brisée et il s'approcha pour écouter ce que les deux hommes pouvaient se dire ! Il sourit, malgré l'étrangeté de sa situation. La conversation ne pouvait être qu'un monologue de Stone, puisque le pauvre Alex était bâillonné !

Pourtant un bruit de voix lui parvint.

« *Be quiet, Alex*[1] *!* Une petite peu de patience Toi trop nervous... Ronald pas confiance... C'est mieux, non ? Ronald place la boîte lui-même, alors ? Toi pas coupable, rien ! Tranquille et dans petite heure, rien plus ! Boum ! Nous très loin,... *good boy !* »

Le pauvre Alex ne répondit qu'en roulant des yeux blancs et en poussant des grognements inarticulés, derrière le bâillon.

« Personne peut plus empêcher gagner la *Blue Rose* ! Personne ! Et si les autres boys veut prévenir, mauvais pour les deux qui sont pris dans la grange ! *Blue Rose* pardonne jamais ! »

Michel frémit en entendant ces derniers mots ! Ainsi Martine et Daniel s'étaient fait prendre dans la grange par les saboteurs qui les gardaient comme otages !

« Où sont-ils maintenant ? se demanda-t-il. Où les autres les ont-ils cachés pour être si sûrs d'eux ? Qu'est-ce que je peux faire ? Une heure, il reste une heure pour retrouver Martine et Daniel et empêcher les autres de faire sauter le tunnel ! Jamais je n'y arriverai, tout seul ! Si seulement j'avais gardé Justin avec moi ! »

Michel réfléchit intensément. Il essaya d'imaginer comment les choses s'étaient passées. Puisque Robert était là, c'était donc le géant roux, Ronald, qui était chargé de poser la boîte d'abord, et lorsque le tunnel serait plongé dans l'obscurité, de mettre en place la charge d'explosif ! Mais, dans ces conditions...

1. « Sois calme, Alex. »

163

Un instant les pensées de Michel tourbillonnèrent dans son esprit. Rien de tout cela ne pouvait être vrai ! Le géant roux était encore, quelques instants plus tôt, en train de ramper dans l'herbe et...

Mais alors ? *Et les deux ombres qu'il avait aperçues, derrière lui...*

Brusquement une autre pensée acheva de l'affoler. Même si le sabotage avait lieu dans une heure, il y avait nécessairement un dispositif de retard, pour que le saboteur ait le temps de s'éloigner et de n'être pas pris dans l'explosion ! Ce qui signifiait que le saboteur aurait fini sa besogne bien avant ! Même en admettant que lui, Michel, réussisse à découvrir Martine et Daniel avant ce temps ridiculement court, comment pourrait-il, même en alertant les services de sécurité du chantier, découvrir l'endroit où le saboteur aurait déposé l'explosif ?

Michel décida de parer au plus pressé : sauver, si c'était possible, Martine et Daniel des griffes du complice de Robert Stone. Il essaya d'évaluer le temps qui lui serait nécessaire pour retourner à Finiterre et retrouver Justin. Trop long. Où chercher son cousin et Martine ? A la grange ? C'était le plus probable. Et de là, foncer vers le tunnel, alerter le gardien qui devait disposer d'un système rapide d'alerte. A tout le moins peut-être pourrait-on évacuer le front de taille et éviter des pertes en vies humaines...

Michel se retira dans l'ombre et regagna l'arrière du puits pour refaire en sens inverse le trajet qu'il venait d'accomplir. Mais à peine venait-il d'arriver au point diamétralement opposé qu'il se heurta presque dans une ombre qui poussa une exclamation étouffée.

« *By Jove !... Take it easy*[1] *!* »

Michel sentit ses cheveux se dresser sur sa tête en

1. « Par Jupiter !... Doucement ! »

même temps qu'une rage folle s'emparait de lui. C'était trop stupide, au moment où il avait besoin de tout son temps, de tomber en plein sur le géant roux ! Sans se rendre compte exactement de la folie téméraire de sa tentative, il se rua pour bousculer l'homme qui déjà le tenait par le bras droit. Tête baissée, comme dans la meilleure tradition, Michel fonça sur l'homme, visant l'estomac, avec l'énergie du désespoir.

Mais une savante parade le projeta assez mollement dans l'herbe, cependant que deux ombres surgissaient dans la nuit pour se précipiter sur lui. Michel attendit des coups, se protégea machinalement la figure, par réflexe, mais une voix moqueuse lui parvint :

« Allons, Michel, du calme, mon vieux ! Ne démolis pas cet homme-là ! On va avoir besoin de lui ! déclara la voix de Daniel.

— Où étais-tu donc ? ajouta la voix de Martine. Et Justin qu'en as-tu fait ? »

Malgré l'urgence, Michel mit quelques secondes à réagir et surtout à recouvrer ses esprits. Il faut avouer que le garçon avait quelque excuse. Retrouver libres ceux qu'il croyait quelques minutes plus tôt prisonniers et otages des saboteurs, en compagnie du troisième homme de l'équipe de la Rose bleue... *qui semblait au mieux avec eux*, il y avait de quoi désorienter le plus calme des esprits,

« Qu'est-ce que vous faites là ? » parvint-il à dire, assez stupidement.

Mais l'urgence de la situation le fit se redresser si brutalement que Martine s'écarta.

« Hé ! là ! dit-elle, doucement.

— Vite ! intima Michel, il n'y a pas une seconde à perdre. Alex est prisonnier de Robert Stone et son complice est en route pour faire sauter le tunnel !

— *What ? Speak slowly, please*[1] *!* ordonna le géant. Comprendre pas si parlez trop *quickly* ![2] »

Michel traduisit ce qu'il venait de dire. Le géant demanda dans sa langue où étaient Alex et ce Robert.

« Alex est ficelé dans sa baraque et Stone le garde...

— *Armed* ?[3] demanda le géant.

— Je n'ai pas vu...

— Aucoune... im'pôrtance, souivez... derrière ! intima le géant, sans qu'aucun de ses compagnons relevât le pléonasme. Et... *be silent, please* ![4] »

Derrière le géant, le trio s'approcha de la baraque. L'Anglais fit signe à ses compagnons de rester immobiles et de le laisser agir seul.

Malgré la recommandation de l'homme, Michel ne put tenir sa langue et il chuchota à l'oreille de Daniel :

« Tu as vraiment confiance dans ce bonhomme-là ?

— Idiot ! C'est Rex Weldonne, le plus grand détective privé d'Angleterre ! »

Michel encaissa la nouvelle à peu près comme un direct à l'estomac. Il avala difficilement sa salive... et voulut poser une autre question. Il resta bouche bée parce qu'au même moment un bruit de vitre brisée déchira le silence de la nuit. Un sourd piétinement, comme une galopade furieuse, ébranla le parquet de la baraque. Une minute plus tard, une forme étrange surgissait de la cabane, et il fallut quelques secondes aux assistants pour comprendre qu'elle se composait de Rex Weldonne et de Robert Stone. Seulement Rex Weldonne était debout alors que Robert Stone décrivait une trajectoire impressionnante avant de s'assommer pro-

---

1. « Quoi ? Parlez lentement, s'il vous plaît ! »
2. Rapidement.
3. « Il est armé ? »
4. « ... et du silence, s'il vous plaît ! »

prement sur le sol où il resta allongé en gémissant sourdement, la respiration coupée. Mais le détective ne lui laissa pas le temps de « récupérer ». A l'aide d'une fine cordelette qu'il tira de sa poche, il immobilisa les poignets et les chevilles de Stone. Puis il retourna dans la baraque, suivi par le trio. Il entreprit de libérer Alex. A ce moment précis, un bruit de pas précipités retentit à l'extérieur et Rex Weldonne se tapit contre la paroi en faisant signe aux enfants de ne pas bouger. Mais ceux-ci éclatèrent de rire en voyant surgir un Justin affolé, très pâle, qui balbutia :

« Qu'est-ce que vous faites à mon frère ? qu'est-ce que... ? »

Il faut dire qu'Alex, les membres engourdis par ses liens, le bâillon encore posé sur la bouche, avait plutôt piteuse allure. Rex éclata de rire à son tour.

« Ah ! c'est le petit frère ! »

En même temps, il débarrassa Alex du bâillon. Le pauvre garçon voulut se dresser mais ses jambes le trahirent et, sans le policier qui le prit dans ses bras, il se serait étalé sur le plancher.

« Où être l'autre ? » demanda Rex, lorsqu'il eut assis Alex de nouveau sur la chaise.

Alex gesticula en rugissant des mots incompréhensibles.

Le géant le calma comme il put. Il aperçut la bouteille de bière que le jeune homme avait apportée pour arroser son casse-croûte nocturne. Il l'ouvrit et présenta le goulot aux lèvres d'Alex. Celui-ci avala quelques gorgées et poussa un soupir de soulagement.

« Il est parti par la galerie du bas, avec un sac de ciment sur le dos...

— Galerie... *what is it* galerie ?

— Vous voulez dire la galerie d'évacuation de l'eau dans ce puits ? » questionna Michel.

Alex, les yeux encore exorbités de colère, hocha affirmativement la tête. Michel traduisit pour Rex le renseignement.

Celui-ci réfléchit, mais prit immédiatement une décision.

« *Well, hurry up, boys*[1] *!* Pas le temps de prévenir personne, nous agir, très vitement ! Vous, garder Stone *here*[2], compris ? »

Alex fit signe qu'il avait compris. Il empoigna son exami et le ramena sans ménagement dans la baraque.

« Vous, les boys, vite, à la tounnel, surveiller les *pipes*[3] pour l'eau, crier fort, appeler *workers*, travaillants, *take care of the bag*[4], précautionne pour le sac, et pas laisser filer *the man*[5], compris ?

— *Yes !* répondit Michel qui n'avait pu s'empêcher de sourire en entendant les explications du géant. Et vous ? »

Le géant éclata d'un rire qui lui fendit la bouche presque jusqu'aux oreilles tant il goûtait sa plaisanterie.

« Moi, jouer le furet, pousser le saboteur dans son terrier vers vous, et peut-être le rattraper. Mais attentionne pas laisser filer ! »

Sans plus attendre, le géant enjamba la margelle du puits et descendit les échelons métalliques que le saboteur avait dû emprunter avant lui.

Les trois garçons et Martine se glissèrent dans l'enceinte du chantier et partirent en courant vers le tunnel. Leur cavalcade passa inaperçue du gardien qui

1. « Bon, dépêchons-nous, les gars ! »
2. Ici.
3. Tuyaux.
4. « Faites attention au sac. »
5. L'homme.

se trouvait trop loin de là pour les apercevoir ou les entendre. Pourtant le chien qui l'accompagnait donna des signes d'inquiétude et tira sur sa laisse. Le gardien le suivit en retenant l'élan de la bête. Les enfants avaient pris du champ et ils atteignirent l'auvent de l'entrée du tunnel sans encombre.

Tout en courant, Michel avait réfléchi et il donna ses instructions.

« On surveille chacun un puits, d'accord ? Martine le premier qui se présente, Justin le second, Daniel le troisième et moi le dernier. J'alerterai les ouvriers du front de taille. Je crois que l'homme sortira par le dernier, c'est celui qui lui aurait permis de faire le plus de dégâts, s'il avait réussi. En tout cas, je vous appellerai ! »

Ils s'engouffrèrent dans le couloir central, où débouchaient les orifices de surveillance des tuyaux d'évacuation de l'eau. En même temps, Michel se rendit compte que sa dernière recommandation était inutile. Avec le bruit de l'excavatrice qui se répercutait dans le tunnel, il était évident que même un coup de sifflet aurait peu de chances d'être entendu !

Il ne fallait pas moins surveiller tous les orifices. Martine s'arrêta au premier puits, et les autres suivirent le conseil de Michel en s'échelonnant aux deuxième et troisième. Lorsque Michel atteignit le dernier, le piège était complet. Rex Weldonne coupait toute retraite possible au saboteur.

Il n'y avait plus qu'à attendre.

Pourtant, une complication imprévue vint modifier le plan établi. Traîné par le chien furieux, le gardien surgit à son tour dans la galerie centrale et découvrit Martine.

« Que faites-vous là, mademoiselle ? » demanda l'homme, maîtrisant difficilement son chien qui voulait aller plus loin.

Martine, surprise, resta bouche bée, tout d'abord.
Elle craignait que l'homme ne la croie pas.

« Nous avons découvert un sabotage ! dit-elle, et c'est
par l'un de ces puits que le saboteur doit entrer. »

L'homme la regarda, roula des yeux effarés et finit
par déclarer, sans plaisanter :

« Je vois, on se croit au cinéma, n'est-ce pas ?... »

Mais le chien fit un bond, à moitié étranglé par son
collier. En même temps, malgré le bruit des machines,
celui d'un tumulte, plus avant dans le tunnel, leur
parvint. Le gardien, dont l'incrédulité avait été un peu
entamée par l'air sincère de la jeune fille, l'empoigna par
le bras et partit derrière le chien en direction du bruit.
Ils dépassèrent le second puits où Justin ne se trouvait
plus pour arriver au troisième où le jeune Ronchot et
Daniel maîtrisaient de leur mieux un gaillard furieux qui
venait visiblement d'émerger du puits d'évacuation des
eaux. La grille en était encore soulevée.

« Qu'est-ce que... ? » balbutia le gardien, essoufflé par la course que le chien lui avait imposée.

« C'est le saboteur, ceux-ci sont mes amis ! » expliqua Martine.

Michel finit par arriver à la rescousse.

« Encore un ! gémit le gardien.

— Mais lâchez-moi donc, bande d'idiots ! Aidez-moi, vous, le gardien ! » cria l'homme.

Le gardien, l'esprit ébranlé par les paroles de Martine, commença par sortir son revolver et par le braquer sur l'homme qui, stupéfait, leva les bras.

« Je me plaindrai ! grogna-t-il. C'est complètement stupide ! »

Le gardien agit rapidement. Laissant le chien tenir l'homme en respect, il s'approcha de lui et le fouilla. Il sortit de la poche de sa cotte bleue une carte d'identité de travailleur du tunnel, offrant toute garantie d'authenticité et munie d'une photographie.

Médusé, le gardien rangea son revolver et s'excusa.

« Je ne pouvais pas savoir... commença-t-il. Ce sont ces jeunes gens qui... »

Michel, qui depuis quelques instants avait deviné la méprise, comprit le danger. Ils allaient être immobilisés par le gardien et l'ouvrier que Daniel avait pris pour le saboteur et, pendant ce temps, le vrai aurait toute latitude pour s'extraire de son puits et pour agir. Le temps de convaincre ces braves gens, il serait trop tard. Aussi n'hésita-t-il pas. Avisant l'un des passages ouverts dans la galerie pour permettre ultérieurement aux employés de procéder aux vérifications sur la voie, il ne fit qu'un bond jusque-là et sauta sur le ballast. Il courut d'une traite jusqu'au front de taille et là se posta derrière un camion en chargement, à l'extrémité de la nouvelle excavatrice, là où le tapis roulant déversait les déblais, directement dans la benne.

Il jeta un coup d'œil autour de lui. L'équipe du front de taille ne comprenait qu'une vingtaine d'ouvriers pour le moment, qui semblaient surtout préposés à la surveillance du fonctionnement des différentes parties de la machine plus qu'à tout autre travail. Aucun d'eux ne fit attention à lui, abasourdis sans doute par le tintamarre effrayant des barres puissantes qui enfonçaient en tournant à une vitesse folle leurs trépans dans la roche.

Michel, pris par la force que dégageait ce spectacle, en oublia presque ses poursuivants. Il surveillait l'ouverture du dernier puits d'évacuation dont l'orifice ne se trouvait guère à plus de dix mètres de l'endroit où il se trouvait.

De temps à autre, il contemplait les puissants rouages visibles à l'extérieur de la machine, les bielles énormes qui ramenaient en arrière, jusque sur le tapis roulant, les quartiers de roche. Un câble énorme amenait l'électricité nécessaire au fonctionnement de l'engin. Le tableau de connexion du câble conducteur et de la machine était situé en contrebas, juste à la hauteur des yeux de Michel. Et tout à coup le jeune garçon frémit...

Depuis quelques instants il ressentait un malaise léger comme si quelque chose d'insolite se produisait sans qu'il fût capable de déterminer de quoi il s'agissait. C'était comme si quelque chose d'étrange frappait sa vue sans qu'il en eût nettement conscience. Brusquement, il sut.

Un camion vide venait d'arriver, pour se placer derrière celui qui se trouvait en chargement. Malgré la lumière intense qui éclairait le tunnel, le chauffeur avait laissé ses phares allumés, par oubli sans doute. Et lòrsqu'il vira pour prendre sa place d'attente, un reflet sur le tableau des connexions électriques de l'excavatrice attira l'œil de Michel.

172

Alors que l'ensemble était peint d'un vert bouteille mat, une boîte noire était posée au milieu du tableau, mais de travers. Si elle avait été placée normalement, c'est-à-dire verticalement ou horizontalement, Michel ne l'aurait certainement pas remarquée. Mais sa position oblique, excentrée par rapport à la symétrie des autres pièces, lui fut une révélation. Oubliant un instant sa surveillance, il s'approcha du tableau et alors il n'eut plus aucun doute ! C'était bien l'une des boîtes qu'ils avaient découvertes dans la grange des Ronchot et brusquement l'association d'idées se fit dans son esprit : la forme du trou dans le tonneau métallique, le résidu noirâtre trouvé au pied, tout tendait à prouver qu'il s'agissait d'un engin essayé par Robert avant d'être utilisé contre l'excavatrice.

Michel n'hésita pas. Il chercha un moyen d'arracher les aimants de la tôle où ils s'attachaient. Mais un essai à la main le convainquit qu'il n'y parviendrait pas par ce moyen. Il découvrit près du marchepied du camion deux outils qui s'y trouvaient fixés par des courroies : une pelle et une pioche. Des outils de secours, sans doute, en cas d'enlisement. Il détacha la pioche, et revint au tableau. Le camion démarra presque aussitôt. Michel dut s'accroupir contre la paroi pour échapper aux vues du chauffeur du second camion qui vint immédiatement remplacer son collègue.

Dès que le camion le masqua de nouveau aux vues du gardien et des ouvriers, Michel revint au tableau d'alimentation électrique de l'excavatrice.

Il engagea tant bien que mal l'extrémité pointue sous la boîte posée là pour faire fondre le mécanisme. Il pesa sur le manche de la pioche de toutes ses forces. Grâce à l'effet de levier joué par celui-ci, la boîte céda et tomba sur le chemin de roulement en métal perforé, contre la roue du camion.

Malheureusement, le fer de la pioche, dans le mouvement brutal qui suivit l'expulsion de l'engin, brisa une manette du tableau. Une énorme étincelle jaillit en crépitant et Michel lâcha l'outil.

Presque en même temps la lumière s'éteignit sur tout le chantier. L'obscurité régna dans le tunnel, sauf à l'endroit que les phares du camion éclairaient encore !

Michel sentit des gouttes de sueur perler à son front. En voulant éviter le pire, il venait stupidement d'accomplir le premier point du plan des saboteurs ! En voulant retirer la boîte incendiaire, pour l'empêcher de couper le courant, il était parvenu au résultat inverse !

Le plus grave, Michel s'en rendit compte sur-le-champ, c'était que le saboteur allait agir sans tarder. Il croirait que c'était l'engin qui avait fonctionné !...

L'engin qu'il avait posé !

Michel sentit une brusque colère contre lui-même naître en lui ! Il était stupide de continuer à surveiller l'orifice du puits d'évacuation des eaux ! Puisque la boîte était en place, c'était donc que le saboteur était déjà sur le chantier ! Il était déjà en train de placer son explosif quelque part ! Mais où ?

La colère, l'irritation et l'urgence n'étaient pas faites pour faciliter le raisonnement. Michel s'obligea donc à plus de calme. Il respira profondément plusieurs fois et s'efforça de recouvrer son sang-froid.

Peu à peu il commença à comprendre. Si l'homme était déjà à l'œuvre, ce ne pouvait être qu'à l'endroit le plus fragile du tunnel, c'est-à-dire à l'un des orifices d'évacuation des déblais en bouillie, l'un de ceux qui venaient d'être fraîchement colmatés par injection de ciment !

Il se souvint des explications de l'ingénieur Ramin et se sentit brusquement ragaillardi ! Il était peut-être encore temps d'éviter la catastrophe...

« Du calme, mon vieux, se répéta-t-il. Du calme... plus d'impair cette fois ! »

Il eut l'intuition que son raisonnement était juste. Le ciment frais ne résisterait pas à la formidable poussée de l'explosif et partirait comme le bouchon d'une bouteille de champagne !

Les gens de la Rose bleue connaissaient bien ce détail, ils savaient parfaitement que c'était l'endroit le plus vulnérable du tunnel puisque leur première tentative avait visé le même point... *de l'extérieur !*

Autour de lui le tumulte était indescriptible. Des exclamations, des appels fusaient. Des silhouettes s'agitaient en tout sens ! C'était sans doute ce qu'avaient espéré les saboteurs pour agir tranquillement.

Michel n'hésita plus. Il quitta l'abri du camion et s'orienta.

Mais à peine venait-il de franchir le ballast, qu'une puissante détonation retentit derrière lui et Michel, dans un réflexe, s'aplatit sur le sol !

Des pierres retombèrent à côté de lui et il vit des ouvriers courir en tout sens avant de se grouper devant l'une des roues du camion !

Michel, dont le sang-froid était revenu, s'obligea à réfléchir et une image lui revint à l'esprit ! Celle de la boîte incendiaire roulant jusqu'à côté de la roue du camion ! C'était tout simplement la boîte qui venait de faire éclater le pneu du camion ! Cet incident, grotesque eu égard au danger autrement plus grave qui menaçait le tunnel, fit sourire Michel, mais il provoqua la recrudescence du tumulte, et des exclamations de fureur.

Michel, toujours dans sa position allongée, releva la

tête et il aperçut une chose étrange ! Dans la partie supérieure du coffrage, celle où M. Ramin lui avait désigné les tubes d'injection de ciment liquide, une lueur furtive venait de s'allumer à une dizaine de mètres de l'endroit où il se trouvait !

Michel crut deviner la cause de cette faute commise par le saboteur, il en était persuadé ! La détonation n'était pas prévue au programme ! Inquiet, peut-être, l'homme venait d'allumer sa lampe en cherchant à se rendre compte. Dans l'état de nervosité dans lequel il devait normalement se trouver, ce geste n'était que naturel !

Il était donc bien là ! Profitant du bruit produit par la machine excavatrice, avant son arrêt, il avait pu dégager sans doute une partie du béton frais, sans être entendu. Maintenant, il devait bourrer l'explosif...

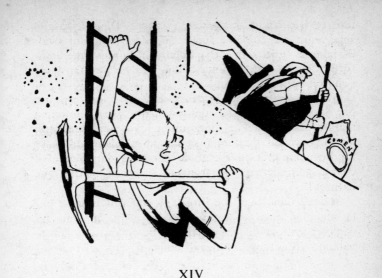

XIV

Michel chercha rapidement un moyen efficace d'intervenir. Une seconde, la lumière revint pour s'éteindre
aussitôt.

« La manette que j'ai brisée est encore en court-
circuit ! pensa Michel. Si j'arrivais à débrancher le fil
d'arrivée du courant à l'excavatrice, le circuit d'éclai-
rage fonctionnerait normalement ! »

Michel fila vers la machine en se heurtant à des
ouvriers qui grognèrent. Il arriva devant le tableau et
découvrit sans peine l'énorme prise de courant, retenue
dans son logement par des pinces articulées. Ce fut un
jeu de manœuvrer les pinces et de tirer sur le câble. La
prise quitta son logement. Le court-circuit ainsi éliminé
de l'installation générale, la lumière ne tarda pas à

revenir. Un grondement de satisfaction retentit dans le tunnel.

Michel s'épongea machinalement le front. L'affaire était chaude ! En se précipitant vers l'endroit où il escomptait pouvoir rejoindre le saboteur, Michel heurta violemment de la cheville un morceau de tôle perforée qui saillait du ballast, juste à côté du pneu éclaté. C'était encore un des méfaits de la boîte incendiaire qui, faisant fondre une partie du chemin de roulement, avait tordu l'extrémité libre.

Cet arrêt permit à Michel de retrouver la pioche qu'il emporta à toutes fins utiles.

Malgré sa cheville en sang, Michel se précipita vers le poste de bétonnage. Il emprunta l'une des échelles encastrées dans la paroi pour donner accès aux ventilateurs. L'étroite galerie d'aération avait permis à l'homme de gagner l'aplomb de l'orifice d'évacuation des déblais.

Sans hésiter, pioche en main, Michel grimpa les échelons et découvrit l'homme qui lui tournait le dos, affairé à dégager avec une courte barre à mine le béton frais.

Le sac d'explosif, dans sa banale apparence d'un sac de ciment inoffensif, était posé à côté de lui encore entouré du système de courroie qui avait permis au saboteur de le porter sur le dos.

Michel ne réfléchit qu'une seconde : quoi qu'il arrivât, le plus urgent était d'éloigner le danger immédiat. Puisque l'homme ne le voyait pas venir, il aurait peut-être le temps d'agir !

Il s'approcha, glissa le manche de la pioche sous le sac et d'un coup de reins violent parvint à faire basculer la charge dans le vide.

L'homme se retourna d'un bond, et Michel devina d'instinct le départ du coup ! Il esquiva mal le poing de

l'homme qui lui meurtrit l'oreille et il perdit l'équilibre. Il se rattrapa à une jambe de son adversaire qu'il enserra désespérément malgré les coups que l'autre lui assenait sur la tête et le dos. Michel, étourdi par les chocs, n'avait plus qu'une pensée, tenir le plus longtemps possible. En même temps il lançait des appels à l'aide à pleine voix.

Cependant, la chute du sac avait attiré l'attention des ouvriers qui, d'en bas, interpellaient les combattants, sans découvrir ce qui arrivait. L'un d'eux comprit qu'il fallait intervenir et gravit à son tour l'échelle de fer. D'autres le suivirent.

Il était temps ! Michel, à bout de force et de résistance, était sur le point de lâcher prise lorsque les ouvriers arrivèrent. Ne sachant trop à qui ils avaient affaire, ils maîtrisèrent le saboteur et Michel, pour les emmener ensuite jusqu'au gardien qui accourait, traîné par son chien et accompagné par Martine, Daniel et Justin...

« Et Rex Weldonne ? Où est-il ? s'inquiéta Michel.

— Pas vu ! » répondit Daniel.

Mais au même moment une autre équipe d'ouvriers arriva, encadrant le policier hilare, qui ne tentait pas de résister. Il venait de surgir du puits d'évacuation sans avoir vu l'homme qu'il poursuivait, et pour cause !

« *Fine, boys !* » s'exclama-t-il en voyant le nommé Ronald tremblant de rage, aux mains des ouvriers. « *Go on...* Expliquons... plous après ! Oui ?

— Qu'est-ce qu'il jargonne, celui-là ? demanda un ouvrier. Qu'est-ce qu'on fait de ce monde-là ? Y a du louche ! »

Le gardien estima qu'il n'y avait qu'une chose à faire.

« Emmenez-moi toute l'équipe au bâtiment A. Je vais prévenir le chef !

— Minoute ! s'exclama Rex Weldonne. Vous dire à loui..., chercher Robert Stone, *quickly* ! Oui ? »

Michel expliqua au gardien ce que venait de dire le détective. Le brave homme, un peu dépassé par les événements, chargea trois ouvriers d'aller chercher l'autre saboteur, à la baraque de la station de pompage.

« C'est un vrai cirque, cette nuit ! » estima l'un des hommes pas fâché au fond d'être acteur dans cet incident.

Une demi-heure plus tard, tout le monde était réuni dans un des bureaux du bâtiment A, le bâtiment de l'administration où Martine, Michel et Daniel avaient rencontré l'ingénieur Ramin, lors de leur première visite au tunnel.

Rex Weldonne surveillait étroitement Ronald en attendant que la situation fût éclaircie.

« Alors, c'était lui, le troisième homme ! murmura Michel à Daniel. Quand je pense que nous soupçonnions Rex.

— Avoue qu'il était bien suspect, d'ailleurs. Je me demande même pourquoi il a agi comme il l'a fait... clandestinement. »

L'arrivée du directeur des travaux précéda de peu celle de M. Ramin qui reconnut avec surprise Martine et ses amis !

Une explication générale s'ensuivit. Rex retroussa la manche du nommé Ronald et la rose bleue, tatouée sur l'avant-bras, identifia aussitôt l'homme comme un membre actif du gang ! Il fut conduit dans une pièce transformée en cellule provisoire où il retrouva Robert Stone déjà sous la surveillance d'un gardien armé.

Escortés par M. Ramin, les quatre amis pénétrèrent dans le bureau de l'ingénieur en chef. Ils n'y étaient pas depuis cinq minutes qu'une surprise de taille se produisit. La porte s'ouvrit et l'homme à la cotte kaki, fumant placidement son éternelle pipe, apparut, mal éveillé encore, mais accueilli avec déférence par M. Ramin. Michel, Daniel et Martine regardèrent l'homme dont le comportement leur avait paru à plusieurs reprises si suspect un peu comme s'il s'agissait d'un revenant.

« Je vous présente le commissaire Chartin, de la Sécurité du territoire ! » déclara l'ingénieur.

Le commissaire esquissa un sourire devant l'ahurissement provoqué par son titre.

« Je crois que ces jeunes gens ont fait du bon travail ! constata calmement le policier.

— Du travail excellent ! confirma M. Ramin. Mais je suppose que nos héros ont besoin d'aller dormir... Que diriez-vous de nous retrouver tous ici, demain matin ? Vers dix heures, par exemple, ce n'est pas trop tôt ? »

La malice de cette dernière remarque déclencha l'hilarité de tous.

« Je vais vous faire reconduire en voiture et je vous ferai prendre demain, c'est entendu ! »

L'ingénieur donna des instructions pour faire relever Alex, sur le rôle duquel les enfants avaient gardé un silence discret devant Justin. Michel prit à part Rex Weldonne et lui demanda d'agir de même. Celui-ci accepta.

« Je voulais... dit-il dans son français hésitant, interro-gationner tout de souite Robert Stone et Ronald Harper... avec votre permissionne, mister Chartin...

— Je veux bien, d'ailleurs je vous accompagne, pour la bonne règle, mon cher collègue », repartit le policier français.

Le retour en voiture fut agréable aux jeunes gens, très fatigués par leurs exploits.

Il fallut bien réveiller Mme Deville, dont le premier affolement fit place à un soulagement relatif lorsqu'elle se fut assurée que rien de fâcheux n'était arrivé à personne.

Pour Alex et Justin, ce fut plus simple. Jules Ronchot dormait comme un plomb et leur retour n'éveilla personne.

ÉPILOGUE

Le lendemain matin, tous se retrouvèrent dans le bureau de M. Ramin qui semblait avoir peu dormi.

Impassible, à son habitude, le commissaire Chartin serra la main des enfants qu'Alex accompagnait.

« Nous n'avons pas perdu notre temps, cette nuit, le commissaire Chartin, Rex Weldonne et moi ! commença l'ingénieur lorsque tout le monde eut pris place. L'interrogatoire des deux prisonniers nous a permis d'établir la succession des faits depuis la tentative de sabotage dans la Manche, et aussi d'arrêter un autre complice, membre de l'Association de la Rose bleue : le faux tenancier du stand de tir, dont le rôle semble mineur dans cette histoire. »

Robert Stone, après la tentative manquée qui avait

amené l'arrestation de six des membres de la bande, était devenu la tête de l'organisation, réduite à trois membres. Il avait profité de sa connaissance de la région pour prendre la direction des opérations.

« Il semble d'ailleurs qu'à l'origine il n'ait pas compté sur l'aide involontaire qu'Alex pouvait lui apporter, précisa M. Ramin. Il ignorait bien entendu que celui-ci travaillait au tunnel. »

M. Ramin ajouta avec bonhomie qu'Alex avait sans doute commis une faute en faisant visiter le chantier à un étranger, sans autorisation officielle. Mais on ne pouvait lui en tenir rigueur, exagérément. Son amitié d'adolescent pour le Britannique était une circonstance atténuante valable.

Robert Stone avait donc préparé l'arrivée du dernier complice, le plus important pour le succès de l'opération, un ex-sergent d'un régiment du génie, spécialiste des explosifs. Il était évident que celui-ci ne pouvait arriver trop tôt, pour ne pas risquer que la police, mettant la main sur lui, détruise le dernier maillon de l'organisation, et le plus important.

« L'incident du stand de tir reste obscur sur quelques points, et je suppose que notre ami Rex voudra bien nous donner quelques précisions qui achèveront de nous éclairer ? »

Le géant, dont les cheveux commençaient à reprendre leur teinte naturelle, à la racine, un noir visible, s'excusa de son mauvais français et demanda à Michel de bien vouloir traduire ses paroles.

Ce fut assez long et Michel traduisit :

« Robert Stone ne connaissait pas le complice qui devait arriver pour compléter l'équipe. Lorsqu'il s'est rendu compte des difficultés que la surveillance policière allait soulever, il a compris que sa nationalité ne

manquerait pas d'être un élément de suspicion à son
égard. Il a tenu à limiter les contacts avec ses complices
et c'est lui qui a imaginé de communiquer avec le dernier
arrivant par l'intermédiaire du stand. Ce complice devait
tirer sur la rose bleue et montrer en même temps son
tatouage sur son avant-bras gauche, une rose bleue. Il
était prévu que, si un Marindunois tirait sur la rose, on
lui donnerait une fleur identique mais sans le plan. Il se
trouve que Rex Weldonne garde, de son passage dans la
Royal Navy, un tatouage sur l'avant-bras gauche et que
ce tatouage, en forme de serpent, a induit en erreur le
complice du stand. Dans la position du tireur, le poignet
de la manche de sa chemise, remonté, dévoilait la queue
du serpent que l'autre a prise pour la queue de la rose.

— *Yes... like this*[1] ! » approuva le géant en souriant
de son large rire silencieux.

Il mima la position du tireur, et en effet, une double
ligne bleue dépassa du poignet.

« Cette coïncidence et le fait que Weldonne ait tiré sur
la rose bleue — sans savoir d'ailleurs ce qu'elle avait de
spécial — a induit le complice, tenancier du stand, en
erreur. Rex avait remarqué l'après-midi que l'enseigne
A la Rose bleue avait été peinte récemment, en la
comparant avec le décor de fond du fronton, et il savait
aussi que les saboteurs arraisonnés par la douane
portaient tous le tatouage sur l'avant-bras.

« Rex Weldonne, agissant pour son compte personnel
et sans aucun des papiers nécessaires, avait dû opter
pour l'action clandestine. Sur la piste de Ronald Harper,
pour une autre affaire, il l'avait filé jusqu'en France,
après avoir découvert que lui aussi portait le tatouage.
Compte tenu du fait que Harper avait été soldat du

1. « Oui... comme ça. »

génie et que les explosifs n'avaient pas de secret pour lui, il n'était pas difficile d'imaginer ce qu'il venait faire en France. Rex Weldonne n'avait eu le temps de prendre contact avec personne. Le soir du concours de tir, l'attitude du tenancier lui avait paru suspecte, mais au lieu de s'emparer de la rose comme il aurait pu le faire, il eut une meilleure idée. En possession de la rose, lui-même, il fût devenu, pour les autres, l'ennemi numéro un. Laissant les enfants emporter la fleur, il lui devenait plus facile de dépister les autres complices en surveillant les enfants. L'intervention du commissaire Chartin, justement intrigué par les agissements de ce géant roux étranger au pays, avait bien failli mettre fin à l'enquête du détective anglais. Elle avait empêché Rex de voir arriver Ronald Harper au stand, quelques instants plus tard, et d'assister à sa rencontre avec Robert, qui surveillait l'endroit. »

Les enfants, sur la route de Finiterre, avaient été filés à la fois par Robert et Ronald, eux-mêmes filés par Rex Weldonne. C'était cette circonstance qui avait induit Michel en erreur, cette nuit-là, lorsqu'il avait aperçu, après les deux silhouettes, celle du géant roux.

Pressé par le temps et estimant que les enfants n'avaient pas compris ce que la rose avait de particulier, Robert avait décidé de passer à l'action sans plus s'occuper du plan, devenu inutile puisqu'il avait été amené à contacter lui-même son complice, repéré au stand.

Le commissaire Chartin sortit de son mutisme pour déclarer :

« J'avoue que je n'ai pas cru à l'imminence du danger... Avec les précautions prises, la tâche des saboteurs eût été impossible sans l'élément imprévu que constituait cette amitié entre Stone et Alex Ronchot.

C'est ce qui a faussé pour moi les données du problème. »

Alex, qui n'avait rien dit, jusqu'ici, intervint :

« Je lui garde une fameuse dent à Robert ! Moi qui l'avais pris pour un honnête homme ! »

Alex avoua qu'il s'était laissé convaincre, un peu à cause de sa rancune contre ceux qu'il accusait de l'avoir dépossédé de ses meilleures terres, un peu aussi par un goût outré de l'aventure.

« Heureusement, vous vous êtes ressaisi à temps ! intervint M. Ramin. J'espère que le commissaire voudra bien passer votre rôle sous silence, la leçon me semble suffisante. »

Rex Weldonne intervint à son tour. Il avait compris le sens des paroles d'Alex. Michel traduisit sa réponse.

« Robert Stone n'est pas à proprement parler un malhonnête homme, avait dit le policier britannique. Il est un exemple de ce que donne le chauvinisme. Alors qu'il ne voyait dans son acte qu'une œuvre patriotique, il allait devenir criminel... contre l'intérêt même de sa patrie !

— Il est de fait que l'Angleterre, comme la France, comme l'Europe même, intervint M. Ramin, a intérêt à ce que le tunnel soit percé au plus tôt ! Les échanges en seront facilités, et... »

Mais le brave homme s'interrompit :

« Ce n'est pas tout à fait le moment d'entamer un cours d'économie politique ! dit-il en souriant. Je crois plus urgent de vous annoncer qu'une lettre de félicitations de M. le ministre des Travaux publics et des Transports vous sera décernée, jeunes gens... D'autre part, je puis vous assurer que vous serez invités à faire partie du premier convoi qui traversera la Manche par le tunnel, le jour de l'inauguration ! »

*
* *

Un peu plus tard, le trio reprenait le chemin de Finiterre.

« Hum... grommela Michel pour plaisanter. Je ne sais pas si j'accepterai de faire partie du premier voyage !

— Pourquoi ? » demanda Martine, curieuse.

Michel prit son temps et désignant Daniel :

« Parce que Rex Weldonne et le commissaire Chartin ont laissé en liberté le plus dangereux adversaire du tunnel... M. Daniel, ici présent ! Et que... »

Mais le reste de la phrase se perdit dans les rires. Daniel poursuivit son cousin en le menaçant du poing.

« Pouce ! gémit celui-ci. J'ai eu mon compte de coups hier soir, pour longtemps j'espère. Si jamais je retrouve ce Ronald Harper sur mon chemin...

— J'ai bien l'impression que ce n'est pas pour demain, mon vieux ! persifla Daniel. A moins que tu ne choisisses la seule solution possible, pour ça !

— Quelle solution ? Le faire évader ?

— Mais non ! Sabote le tunnel à ton tour, et tu le rejoindras en prison si le cœur t'en dit ! »

Martine mit fin à la discussion, qui menaçait de dégénérer en pugilat pour rire, en déclarant très tranquillement :

« Pressez-vous un peu, sinon nous allons manquer l'heure du bain !

— Et voilà, c'est exactement comme si rien ne s'était passé ! déclara Michel en riant. Martine reprend ses droits !

— En tout cas, si tu mets encore le pied sur une épave, ne te crois pas obligé d'en faire une histoire ! » répliqua la jeune fille.

Michel parut si surpris que Martine et Daniel éclatèrent de rire en s'enfuyant vers Finiterre...

IMPRIMÉ EN FRANCE PAR BRODARD ET TAUPIN
58, rue Jean Bleuzen - Vanves - Usine de La Flèche, 72200
Loi n° 49-956 du 16 juillet 1949 sur les publications destinées à la jeunesse.
Dépôt : 1959.